D1216277

GUIDE DES JEUX SCOUTS

Couverture
- Maquette:
  GAÉTAN FORCILLO
- Photo:
  ASSOCIATION DES SCOUTS DU CANADA

Maquette intérieure
- Conception graphique:
  ANDRÉ LALIBERTÉ
- Illustrations:
  MICHEL MARSEILLE

DISTRIBUTEURS EXCLUSIFS:

- Pour le Canada:
  AGENCE DE DISTRIBUTION POPULAIRE INC.*
  955, rue Amherst, Montréal H2L 3K4 (tél.: 514-523-1182)
  *Filiale de Sogides Ltée

- Pour la France et l'Afrique:
  INTER-FORUM
  13, rue de la Glacière, 75013 Paris (tél.: 570-1180)

- Pour la Belgique, la Suisse, le Portugal, les pays de l'Est:
  S.A. VANDER
  Avenue des Volontaires, 321, 1150 Bruxelles (tél.: 02-762-0662)

GUIDE DES JEUX SCOUTS

ASSOCIATION DES SCOUTS DU CANADA

Sélection et adaptation des jeux:
Michel Portmann, professeur d'éducation physique
à l'université du Québec à Montréal

Rédaction: François Huot

LES ÉDITIONS DE L'HOMME *

CANADA: 955, rue Amherst, Montréal H2L 3K4

*Division de Sogides Ltée

Association des Scouts du Canada
Centre national
9907, rue Parthenais
Montréal, Québec
H2B 2L3

L'aide financière de
Condition physique Canada
est hautement appréciée

 **Gouvernement du Canada
Condition physique et Sport amateur**

©1984 LES ÉDITIONS DE L'HOMME,
DIVISION DE SOGIDES LTÉE

Tous droits réservés

Bibliothèque nationale du Québec
Dépôt légal — 2e trimestre 1984

ISBN 2-7619-0350-1

Avant-propos

Créé en 1907 par un général anglais, lord Baden-Powell, le scoutisme a largement fait ses preuves: on compte aujourd'hui dans le monde plus de seize millions de scouts dans quelque cent cinquante pays et territoires. Si le scoutisme a ainsi réussi, c'est qu'il propose une pédagogie simple et stimulante. Le jeu, l'équipe et la nature résument cette pédagogie qui vise à développer sous tous ses aspects la personnalité des jeunes. Deux des objectifs majeurs du scoutisme sont à juste titre la santé et la force de caractère.

Le présent recueil de jeux tend aux mêmes buts. Ce sont des jeux d'équipe, d'extérieur pour la plupart, d'hiver ou d'été, faisant appel aux qualités physiques des jeunes et requérant honnêteté et fair-play. Beaucoup de ces jeux sont aussi de véritables petites aventures qui font large place à l'imagination: les participants, dans certains cas, ne joueront même plus; ils *seront* véritablement des extra-terrestres, des chevaliers, des dragons, des chasseurs, des "petits monstres"...

Pour les animateurs, qui devront régulièrement revêtir l'habit inconfortable de l'arbitre, ce livre, qu'ils ne l'oublient jamais, représentera un véritable défi et non un moyen commode d'occuper les jeunes dont ils auront la responsabilité. L'organisation de ces jeux exigera d'eux beaucoup d'imagination et, surtout, beaucoup de jugement, car ils devront souvent intervenir en cours de jeu pour rendre des décisions dont les effets seront quelquefois cruellement ressentis.

Car les jeunes, c'est bien connu, prennent les jeux au sérieux. Et cela se produira d'autant plus souvent que ce livre n'est pas un manuel de règlements: il n'en a pas l'épaisseur et tel n'en est pas l'objectif. Conséquence? On devra bien souvent adapter, voire transformer les jeux proposés, en fonction de deux "variables": la capacité physique des participants et, ce qui est plus difficile à jauger, l'état de maturité du groupe.

Les jeux sont destinés à des garçons ou à des filles de sept à quinze ans. C'est le groupe d'âge où l'on a observé que la condition physique commence à se dégrader.

Puisse ce recueil contribuer à freiner cette tendance tout en permettant au plus grand nombre possible de jeunes de s'amuser.

Introduction

Sur les traces de Baden-Powell

Lord Baden-Powell, c'est ce Britannique qui, en 1907, fonda le scoutisme. Ce fut aussi ce que nous appelons ici un grand "coureur des bois". À son époque et dans son pays, on utilisait plutôt le terme "éclaireur" pour le désigner. Un "éclaireur", c'était un soldat dont la tâche, en temps de guerre, consistait à précéder son armée pour découvrir la position de l'ennemi, en analyser les forces et tactiques, et rapporter ensuite ces informations à ses chefs. Pour effectuer ce genre de "missions impossibles", il fallait être débrouillard, endurant, courageux et en grande forme physique.

Dans son livre *Éclaireurs*, Baden-Powell raconte une aventure vécue à l'occasion d'une mission au sud de l'Afrique contre les Matabélés. "J'avais grimpé, écrit-il, jusqu'à leurs places fortes, dans les montagnes du Matopo, et j'avais été surpris. Il s'agissait de filer. Leur grande ambition était de m'attraper vivant: ils avaient en vue pour moi une exécution plus raffinée qu'une simple balle dans la tête; ils me réservaient certaines formes désagréables de torture. Aussi courais-je de bon coeur.

"La montagne était couverte d'immenses blocs de granit entassés les uns sur les autres. Ma course consistait surtout à sauter d'un bloc à un autre, et c'est alors que l'équilibre et l'agilité de pieds acquise dans mes danses me vinrent en aide. En descendant de la montagne je me trouvai à distancer mes poursuivants sans difficulté aucune. Ils étaient hommes de plaine et ne s'entendaient pas du tout à ce trot sur les rochers: ils escaladaient et redescendaient laborieusement roche après roche. C'est ainsi que je me tirai d'affaires; et la confiance que cette expérience fit naître en moi m'amena à rendre plus d'une visite encore à ces montagnes."

Sauter par-dessus la clôture

Voilà qui montre que la bonne forme physique et la souplesse sont quelquefois bien utiles. Or, même si aucun d'entre vous ne devient éclaireur comme Baden-Powell, il n'est pas impossible qu'une bonne condition physique puisse un jour vous être utile. En plus du plaisir de sentir que votre corps fonctionne bien, que vous pouvez facilement, par exemple, sauter par-dessus une clôture, lancer une balle ou un caillou au loin, il se peut que vous ayez besoin de la bonne forme de votre corps pour vous tirer... d'un mauvais pétrin ou pour secourir quelqu'un d'autre.

Vous pensez que c'est exagéré? Eh bien, non! En voici la preuve: le 28 mai l982, le jeune Denis Vachon, un courageux gars de huit ans de Saint-Ferdinand, sauve d'une noyade certaine un jeune de vingt ans, Mario Tanguay. Ce dernier, avec son camarade Mario Martineau, s'est aventuré sur l'eau en chaloupe. À la suite d'une fausse manoeuvre, nos deux Mario se réveillent à l'eau; alors que Mario Martineau s'accroche à la chaloupe, Mario Tanguay tente de rejoindre la rive à la nage; il semble qu'il n'y parviendra pas. C'est alors que Denis Vachon, en dépit des cris des personnes qui lui disent de ne s'y aventurer d'aucune façon, se lance à l'eau avec une chambre à air et secourt Mario Tanguay juste à temps, car ce dernier, presque inconscient, est sur le point de couler.

Pour être prêt à intervenir, il faut s'y préparer de façon, le moment venu, à ne pas hésiter ou à manquer de courage. Baden-Powell raconte d'ailleurs une autre histoire qui peut-être vous intéressera. "Il y a deux ou trois ans, en Angleterre, une femme se noya dans une eau peu profonde devant une foule d'hommes trop effrayés pour faire autre chose que de crier. En fait, ces poltrons restèrent là à s'époumoner et à jacasser sur la berge: pas un n'osa sauter à l'eau. La femme se noya sous leurs yeux. "Et vous, qu'auriez-vous fait? Mais d'abord, auriez-vous été capable de faire quelque chose?"

Il n'y a pas que le sport!

À en croire beaucoup de gens, il n'y a que le sport pour se mettre en forme. Rien n'est plus faux, car il existe de nombreux autres moyens. D'ailleurs, il n'est pas certain que le sport soit toujours une bonne voie. Prenez certains haltérophiles: ils peuvent soulever des centaines de kilos au bout de leurs bras, mais ne leur demandez pas de courir après l'autobus... Quant aux coureurs de marathon, pensez-vous qu'ils auraient moins de chance de se fouler une cheville qu'une autre personne si un chien voulait leur mordre le fond de culotte et qu'ils devaient courir sur des rochers? Probablement pas.

Vitesse, endurance (capacité de maintenir long-temps un effort modéré), résistance (aptitude à fournir, pendant un laps de temps plutôt court, un effort très important), force, adresse, agilité, vitesse de réaction, voilà les principaux éléments physiques sur lesquels la pratique des jeux décrits ci-après devrait avoir un effet bénéfique. Ce sont ces éléments qu'on retrouve dans l'index présenté à la fin de ce recueil.

Bref, avec ces jeux, les systèmes cardio-vasculaire, respiratoire et musculaire sont "travaillés" et améliorés. Pour les jeunes comme pour les adultes, l'effet d'une pratique régulière d'activités physiques se traduit par ce qu'on nomme communément une "sensation de bien-être général". De façon concrète, cela signifie que les gens sont "bien dans leur peau", dorment mieux, travaillent avec plus d'entrain. Conjugués avec de saines habitudes de vie (nombre suffisant d'heures de sommeil, bonne alimentation, etc.), ces jeux constituent un cocktail explosif... pour acquérir et garder une bonne santé.

Les jeux présentés ici exigent en général très peu d'équipement et présentent toujours certains éléments d'émulation — le seul véritable moyen de maintenir l'intérêt. Contrairement au préjugé, l'émulation n'empêche pas la coopération. Au contraire: pour gagner, les joueurs, presque toujours divisés en équipes, devront fournir un effort collectif. La victoire est l'aboutissement de l'organisation d'abord, puis de la réalisation d'une action collective qui n'est autre que la somme des efforts individuels. Voilà ce que propose et contient *Le Guide des jeux scouts*.

Les jeux

1

La chasse aux canards

Aire de jeu: une clairière, ou mieux un parc.

Matériel: ballons.

Jeu et règles: diviser le groupe en 2 équipes égales: les "canards" d'un côté, les "chasseurs" et les "chiens" de l'autre.

Les canards doivent, sans que les chiens ni les chasseurs ne les voient, se cacher dans un rayon de 100 mètres. Lorsque tous sont cachés, l'arbitre donne le signal de la chasse.

Les chasseurs, porteurs d'un ballon, doivent attraper les canards en les touchant d'un lancer du ballon. Lorsqu'un canard est touché, il devient un chien.

Les chiens dépistent les canards et, lorsqu'ils ont repéré un canard, ils en informent les chasseurs et les attirent par leurs aboiements.

Attention! Les canards, une fois qu'ils ont été dépistés, peuvent se déplacer. Et, s'ils attrapent le ballon à deux mains, le retiennent un instant et le laissent ensuite tomber sur le sol, ils ne sont pas touchés et peuvent continuer à se déplacer.

Le jeu prend fin lorsque tous les canards ont été pris; le dernier à l'être est déclaré vainqueur. Ensuite, si l'on veut continuer à jouer, on inverse les rôles, les chasseurs et les chiens devenant les canards et vice versa.

2

Le ballon passe-passe

Aire de jeu: en plein air ou dans une grande salle.
Matériel: 1 ballon.
Jeu et règles: 2 équipes d'égale force se répartissent dans un rectangle d'environ 20 m sur 30 m. L'équipe qui possède le ballon cherche, par des passes précises et rapides, à faire le plus possible d'attrapés sans que le ballon tombe au sol ou soit intercepté par l'adversaire. Pour y parvenir, les joueurs doivent sans

cesse se démarquer, c'est-à-dire courir dans les espaces laissés libres par les adversaires.

L'équipe qui n'a pas le ballon doit essayer de l'intercepter pour se l'approprier et, à son tour, faire des passes.

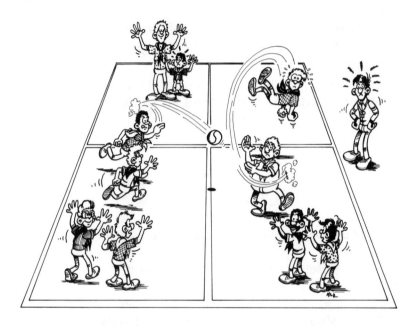

L'équipe gagnante est celle qui accumule, au total, le plus grand nombre de passes. Le total d'une équipe s'obtient par l'addition du nombre de passes effectuées dans chacune des périodes où elle était en possession du ballon. Pour ce jeu, il conviendra donc d'avoir 3 arbitres, un pour mener le jeu et deux autres devant compter le nombre de passes effectuées par chacune des équipes.

Pour amorcer le jeu, l'arbitre tire au sort l'équipe qui possédera le ballon au début du jeu.

Il n'est pas permis de se déplacer avec le ballon dans les mains.

Celui qui ne possède pas le ballon n'a pas le droit de l'enlever des mains de celui qui le tient, tout comme il n'a le droit ni de bousculer, ni de ceinturer, ni de retenir un adversaire.

Lorsque le ballon sort des limites du terrain, il appartient à l'adversaire le plus proche du joueur qui l'a touché le dernier.

Quand le ballon tombe au sol, l'arbitre le donne à l'équipe qui ne l'avait pas alors en sa possession.

3

L'incroyable Hulk

Aire de jeu: un bois clairsemé aux limites déterminées.

Matériel: carrés de papier, montre ou chronomètre, foulards ou chiffons.

Jeu et règles: un joueur désigné par le sort devient "l'incroyable Hulk"et doit, pendant un temps choisi, être traqué par ses camarades. L'incroyable Hulk part 5 minutes avant les autres et, tout au long du chemin, sème sur son passage des carrés de papier à intervalles réguliers.

Hulk porte à la ceinture un foulard que devront lui ravir ses "poursuivants" pour le neutraliser. Mais eux aussi doivent en porter un à la ceinture, de sorte que, quand Hulk est rattrapé, il peut bénéficier d'un sursis de 3 minutes, si toutefois il parvient à s'emparer du foulard d'un de ses poursuivants avant qu'on ne prenne le sien.

L'arbitre du jeu fixe un temps limite (entre 20 et 30 minutes). Si Hulk est pris avant la limite de temps, on désigne un autre Hulk et le jeu recommence. Si Hulk n'est pas pris avant la fin du temps déterminé, il est sacré l'incroyable Hulk.

4

La comète

Aire de jeu: un terrain plat dont les limites sont les côtés d'un rectangle de 30 m sur 50 m.

Matériel: 1 ballon, foulards ou rubans, 2 seaux.

Jeu et règles: au centre des petits côtés du rectangle sont placés les seaux qui servent de buts et dans lesquels le ballon doit être lancé. Les équipes se répartissent chacune sur une moitié de terrain. Chaque joueur porte un ruban à la ceinture. L'arbitre amorce le jeu en lançant le ballon en l'air entre les 2 équipes.

Le joueur qui s'en empare peut courir en le tenant à deux mains devant lui (et non sous l'un des bras). L'équipe adverse doit saisir le ruban du porteur du ballon pour l'en déposséder. Celui-ci ne peut se défendre qu'en courant ou en passant le ballon à un coéquipier.

Aussitôt qu'un porteur n'a plus son ruban, il doit abandonner le ballon qui est repris par celui qui a enlevé le ruban. Au besoin, l'arbitre informe le porteur qu'il n'a plus son ruban et qu'il doit le reprendre sur le sol avant de revenir au jeu. Pour éviter l'empilement ou les mêlées de joueurs, on devra laisser libre un cercle de 2 mètres de diamètre autour du joueur qui aura réussi à enlever le ruban du porteur du ballon. Disposant ainsi d'une bonne marge de manoeuvre, le nouveau possesseur du ballon pourra courir ou faire une passe pour relancer le jeu.

Un point est compté quand le ballon est déposé ou lancé dans le seau de l'équipe adverse; si le ballon est lancé, le point n'est valide que s'il reste dans le seau.

Si le ballon sort de l'aire de jeu, il appartient à l'équipe adverse du dernier joueur qui l'a touché. Si c'est le porteur qui va en dehors des lignes, il doit abandonner le ballon à l'adversaire.

La durée de ce jeu peut aisément varier selon la forme physique des participants. Selon le cas, on pourra aussi prévoir des périodes de repos.

5
Le marathon à cheval

Aire de jeu: un sentier de 500 à 1000 mètres dans un bois ou un parc vallonné.

Matériel: aucun.

Jeu et règles: selon le nombre de participants, former 4 ou 6 équipes d'au moins 3 joueurs. Chaque équipe désigne un "soldat de marathon" porteur d'un message qu'il doit remettre à son "armée" à l'autre extrémité du terrain. Pour y parvenir, il dispose d'autant de chevaux qu'il y a de joueurs dans son équipe.

Le soldat de marathon monte sur le dos d'un cheval qui l'emportera aussi loin que possible avant d'être relayé par un coéquipier, et ainsi de suite jusqu'à ce que le soldat atteigne son armée, c'est-à-dire revienne au point de départ. À mi-chemin de la course, lorsqu'on entreprend le retour, on prend soin de changer de soldat. L'équipe gagnante est celle qui arrive la première au but.

6

Le millionnaire

Aire de jeu: un terrain très accidenté et boisé, préférablement clôturé ou marqué d'une façon quelconque.

Matériel: rectangles de papier, montre ou chronomètre, sifflet.

Jeu et règles: on sème sur le terrain une certaine quantité de feuilles ayant la forme de billets de banque et sur lesquels on inscrit une valeur (5, 10, 20, 50, 100 $). Selon la valeur, les feuilles peuvent être de différentes couleurs.

Au signal, les joueurs ou les équipes, partant des limites extérieures du terrain, ramassent le plus grand nombre de billets pour constituer la plus grosse fortune. Le plus riche est déclaré vainqueur.

L'arbitre signale le départ et impose un temps limite entre 15 et 20 minutes. À l'arrêt du jeu, signalé par un coup de sifflet, les joueurs n'ont plus le droit, sous peine de disqualification, d'amasser de billets et ne disposent que de 5 minutes pour revenir au point de départ.

7

La bataille des chevaliers

Aire de jeu: une surface rectangulaire, pelouse ou terrain mou, sans obstacles, mesurant environ 30 m sur 50 m.

Matériel: papier journal roulé en forme de massues et retenu avec du ruban adhésif de couleurs différentes, montre.

Jeu et règles: 2 équipes de force égale sont formées, les "chevaliers blancs" et les "chevaliers bleus". Chaque équipe a autant de "massues" qu'elle compte de joueurs. Dans chacune, une moitié des joueurs est "cheval" et l'autre, "chevalier". Tous les chevaliers, munis d'une massue, montent sur leur cheval et se placent vis-à-vis de leurs adversaires, attendant le signal de départ derrière les lignes des petits côtés (30 m) du rectangle.

Au signal du "roi" (arbitre), tous les chevaliers doivent traverser le terrain et déposer leur massue derrière la ligne ennemie sans tomber de monture. L'équipe gagnante est celle qui réussit à déposer toutes ses massues dans le camp ennemi ou qui, à la fin du temps prévu pour le jeu, en a déposé le plus.

Mais attention! Le chevalier qui réussit à déposer sa massue derrière la ligne adverse retourne à sa base —

toujours en occupant le rôle de chevalier — cueillir une autre massue dans la réserve de son équipe. Lors de ce retour, s'il est désarçonné, il doit reprendre la massue qu'il a laissée dans le camp ennemi et retourner à pied dans son propre camp, où il devient cheval.

Le cheval ne fait que transporter le chevalier vers l'ennemi; il n'a le droit ni de pousser ni de retenir de quelque façon un cheval ou un chevalier ennemi. Le chevalier, quant à lui, guide sa monture et essaye — utilisant uniquement sa massue — de faire tomber l'ennemi de son cheval en le frappant ou en le poussant.

Le chevalier qui a mis pied à terre retourne au point de départ et prend la place du cheval qui joue alors le rôle de chevalier. Il y a aussi changement de rôle au moment de reprendre une nouvelle massue et d'aller la déposer dans le camp ennemi.

Un cheval ne peut, même s'il est fatigué, devenir chevalier sans retourner à son camp. Les deux retournent alors à pied au camp.

On peut imposer un temps limite d'environ 20 minutes.

8

La chasse gardée du
baron De Gros-Pieds

Aire de jeu: un parc, une clairière où le "baron De Gros-Pieds", élève des "chevreuils" qu'il laisse en liberté pour ses parties de chasse annuelles. Des "braconniers" ne peuvent résister au désir de chasser ce gibier, malgré la vigilance des "gardes-chasse" du baron.

Matériel: foulards, montre.

Jeu et règles: divisés en 3 groupes et portant tous un foulard à la ceinture, les joueurs représentent respectivement les gardes-chasse, les braconniers et les chevreuils, ces derniers ne pouvant se défendre que par la fuite.

Pour attraper un chevreuil, il faut lui dérober son foulard: le chevreuil suit alors celui qui l'a piégé. Les gardes-chasse et les braconniers s'éliminent en se volant leur foulard, tout en essayant d'attraper le plus grand nombre de chevreuils possible. Les gardes-chasse les ramènent au château du baron, alors que les braconniers les conduisent dans leur village (lieux désignés à l'avance).

Un chevreuil est ramené au château ou au village par 2 joueurs à la fois. Si l'un d'eux se fait enlever son foulard, un autre doit le remplacer. Si les deux perdent leur foulard, le chevreuil est libre.

Le joueur (sauf un chevreuil) qui perd son foulard retourne au plus vite à son point de départ pour en prendre un autre et continuer à jouer.

Un chevreuil vaut 3 points, un foulard 1.

Le jeu prend fin à l'expiration du temps prévu ou lorsqu'il n'y a plus de chevreuils. Pour la chasse suivante, les joueurs changent de rôle.

9
Les 5 dragons sacrés

Aire de jeu: un bois clairsemé où se terrent 5 "dragons sacrés", protégés contre les "explorateurs" par une "tribu inconnue".

Matériel: cordes à sauter, foulards et rubans, brassards, sifflet, montre.

Jeu et règles: 5 joueurs incarnent les dragons sacrés; ils s'identifient par une pièce de vêtement (chapeau, écharpe, brassard, etc.), se cachent à quelque 500 mètres de leur base de départ et à environ 25 mètres les uns des autres.

Le reste des joueurs se divise en 2 camps égaux, la tribu inconnue et les explorateurs. Alors que la tribu (chaque indigène porte un ruban) protège les dragons en se camouflant près des repaires de ces derniers, les explorateurs veulent les capturer et les emmener dans leur pays (base de départ) sans, évidemment, se faire attraper par les indigènes de la tribu inconnue.

Au signal, indiqué par un coup de sifflet, les explorateurs, par pelotons de 4 ou 5 joueurs, un foulard à la ceinture — une couleur par peloton —, partent à la recherche des dragons; chaque peloton dispose d'une corde pour attacher ceux-ci.

Lorsqu'un peloton capture un dragon, il lui ligote la taille pour l'emmener. Mais le dragon, affolé par les événements, gémit et appelle à l'aide les indigènes. Ceux-ci peuvent voler à son secours sans négliger, le cas échéant, la protection du repaire d'un autre dragon.

Un dragon ramené à la base rapporte 3 points aux explorateurs. Un point additionnel est attribué pour chaque explorateur n'ayant pas perdu son foulard.

Si tous les explorateurs d'un peloton perdent leur foulard et qu'ils ont attrapé un dragon, celui-ci est relâché et peut se cacher à nouveau. Ces explorateurs doivent alors retourner à la base prendre de nouveaux foulards et se remettre à jouer.

En tout temps, les indigènes inconnus peuvent attraper les foulards des explorateurs. Par contre, les explorateurs ne peuvent se défendre que lorsqu'ils ont attrapé un dragon et seulement le faire en volant le ruban des joueurs de la tribu inconnue.

On fixe une limite de temps entre 15 et 20 minutes, puis on change les rôles en choisissant 5 nouveaux dragons.

10

Sauve-blessés

Aire de jeu: un vaste territoire d'au moins 100 m sur 800 m, fortement accidenté (pentes, ruisseaux, fossés...)
Matériel: carton, sifflets.
Jeu: former des équipes de 3 joueurs et désigner un "blessé" pour chaque équipe. Les blessés se dirigent vers un endroit, à environ 800 mètres, connu d'eux seuls et des arbitres. Là ils se dispersent dans un rayon maximal de 30 mètres. Une fois sur place, ils donnent le signal du départ au moyen de coups de sifflet.

Toutes les équipes de sauveteurs se mettent alors en route. Les blessés, munis chacun d'un porte-voix fait avec du carton en forme de gros entonnoir, guident les sauveteurs. Ils ne peuvent cependant signaler leur présence que toutes les 2 minutes et au maximum 10 secondes chaque fois.

Lorsqu'un blessé est découvert par son équipe, celle-ci se débrouille pour le transporter le plus rapidement possible au point de départ. Le blessé — les arbitres devront y voir — ne doit ni marcher, ni courir, ni faire quoi que ce soit pour aider les sauveteurs. L'équipe qui arrive en premier obtient 10 points, la seconde 9, la troisième 8, et ainsi de suite.

La guerre des drapeaux

Aire de jeu: un terrain boisé qui abrite deux pays séparés par un sentier ou un petit fossé.

Matériel: 2 drapeaux, brassards.

Jeu et règles: les joueurs se répartissent en 2 camps égaux occupant chacun un pays de part et d'autre de la frontière. Chaque camp possède 1 drapeau. 2 drapeaux sont plantés de telle sorte qu'ils sont visibles à une distance d'au moins 20 mètres. Le but du jeu est de ramener le drapeau "ennemi" dans son pays et, ainsi, de gagner la partie.

Un joueur élimine un adversaire par simple toucher si l'ennemi s'est avancé dans son pays; le joueur touché devient alors prisonnier et est conduit dans un espace réservé aux prisonniers et protégé par un gardien.

Un coéquipier peut cependant libérer un des siens en le touchant et le ramener au camp de base *sans que ni l'un ni l'autre ne soient inquiétés* par l'ennemi: ils indiquent leur statut d'intouchables en courant les bras levés. Mais attention! un joueur ne peut libérer qu'un coéquipier à la fois.

Lorsqu'un joueur est pris avec le drapeau, il le laisse tomber sur place et la guerre continue. C'est alors l'équipe adverse qui entre en possesssion du drapeau. On doit laisser un espace de 3 mètres autour du drapeau pour permettre à un joueur de relancer le jeu.

Est victorieuse l'équipe qui réussit à ramener sur son territoire le drapeau de l'autre pays ou celle qui, à la fin du temps limite, possède le plus grand nombre de prisonniers.

12
La balle brûlée

Aire de jeu: un terrain plat d'environ 50 m sur 100 m.

Matériel: 1 batte, 1 balle de tennis, 5 piquets ou cônes, montre.

Jeu et règles: à une extrémité de la surface de jeu, on installe 5 bases distantes de 10 mètres chacune et formant un pentagone régulier. Ces bases sont numérotées de 1 à 5 dans le sens des aiguilles d'une montre. La base numéro 1 est la base de départ et d'arrivée. Au centre du pentagone, on trace un cercle de 1 mètre de diamètre, c'est la zone de la "balle brûlée" et, en même temps, celle du serveur.

Pour commencer ce jeu, on divise les joueurs en 2 équipes égales, les "batteurs" et les "attrapeurs"; ces derniers se répartissent sur tout le terrain.

La balle est brûlée quand un des attrapeurs la lance au serveur qui, alors, la fait rebondir dans son cercle en criant "balle brûlée". À ce moment, le batteur qui vient de frapper la balle et tous les autres batteurs adverses pris *entre* deux bases sont éliminés ou sortis du jeu.

Un batteur prend ensuite place derrière la base numéro 1. Du cercle, le serveur lui lance la balle de manière que le batteur puisse la frapper. Si ce dernier tente de la frapper et la manque, il a encore droit à 2 essais (3 essais en tout). Cependant, s'il décide de ne pas la frapper, le lancer n'est pas compté.

Lorsque la balle est frappée:

— le batteur doit essayer de faire le tour des 5 bases le plus rapidement possible. Cependant, s'il décide de

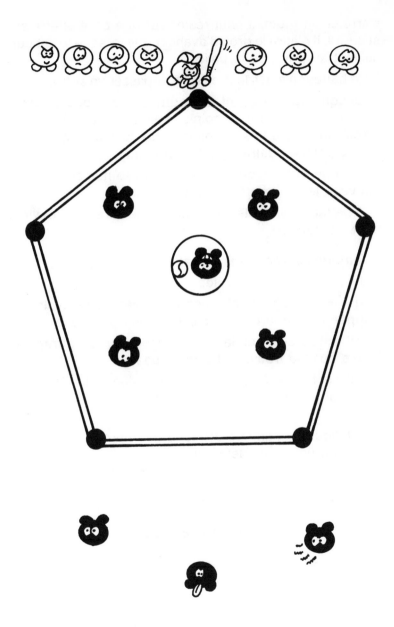

s'arrêter en route, il peut rester sur une base et être en sécurité. Il n'aura le droit d'avancer que lorsque le batteur suivant aura frappé la balle;

— le batteur n'a pas le droit d'en dépasser un autre;

— chaque batteur ayant parcouru le circuit des 5 bases d'un coup rapporte 5 points à son équipe. S'il s'est arrêté une seule fois: 4 points; deux fois: 3 points; trois fois: 2 points; quatre fois, 1 seul point;

— chaque batteur qui revient à la base numéro 1 a de nouveau le droit de frapper la balle;

— 5 batteurs ayant été sortis du jeu, les attrapeurs deviennent les batteurs.

Le batteur est sorti dans les cas suivants:

— lorsque la balle est brûlée;

— quand la balle est attrapée à la volée après avoir été frappée et que le batteur n'est pas sur une base;

— s'il est atteint par la balle lancée par un attrapeur tandis qu'il se trouve entre deux bases;

— s'il se trouve à la même base qu'un autre batteur: celui qui y arrive le deuxième est éliminé.

L'équipe gagnante est celle qui marque le plus de points en un temps déterminé.

13

Cherche-au-dos

Aire de jeu: un espace de 100 m sur 100 m dans un parc ou dans une clairière.

Matériel: dossards.

Jeu et règles: les joueurs sont divisés en 2 équipes et placés sur 2 lignes se faisant face. L'arbitre du jeu leur épingle dans le dos des pancartes ou dossards portant une marque d'identité (lettre, numéro, dessin, mots, etc.)

Au signal de l'arbitre, le joueur cherche à lire la marque sur le dos de son vis-à-vis tout en évitant que celui-ci puisse lire sa propre marque. Les joueurs peuvent se déplacer dans toutes les directions sans sortir des limites du territoire. Il n'est pas permis de s'adosser à un arbre, à un mur, etc., pour cacher son dossard.

Lorsqu'un joueur a identifié le dossard de son vis-à-vis, il le dit à l'arbitre et marque 1 point pour son équipe. L'arbitre doit alors changer le dossard des deux joueurs avant qu'ils puissent revenir au jeu.

Le jeu cesse au signal de l'arbitre. Le total des points accumulés par chaque équipe désignera les vainqueurs.

Variante: les joueurs n'ont le droit de marcher que sur un seul pied.

Les kamikazes

Aire de jeu: un terrain plat de 15 m sur 30 m, divisé en deux camps de 15 m sur 15 m par une ligne médiane. Aux deux extrémités du terrain, une bande de 2 à 3 mètres est réservée aux camps des prisonniers.

Matériel: craie, fanions ou cônes pour les limites du terrain.

Jeu et règles: les joueurs sont divisés en 2 camps et répartis dans leur demi-terrain respectif. Pour amorcer le jeu, 2 "prisonniers" sont désignés dans chaque équipe et vont prendre place à l'arrière de la zone adverse, dans la section réservée aux prisonniers.

Le but du jeu est d'envoyer des "kamikazes" (2 à 5 au maximum à la fois) pour délivrer les prisonniers en traversant les lignes ennemies sans se faire toucher par l'adversaire. Lorsqu'un kamikaze y parvient, le prisonnier et lui peuvent regagner leur camp sans être inquiétés.

Lorsqu'un kamikaze est touché par l'adversaire, il devient prisonnier et doit aller dans la zone des prisonniers attendre qu'un de ses coéquipiers vienne le délivrer.

Le jeu s'arrête lorsqu'il y a 10 prisonniers dans une même zone; l'équipe qui les a attrapés marque 1 point. Le jeu recommence avec 2 prisonniers seulement de chaque côté. On peut fixer un nombre de points maximal ou un temps limite pour le jeu.

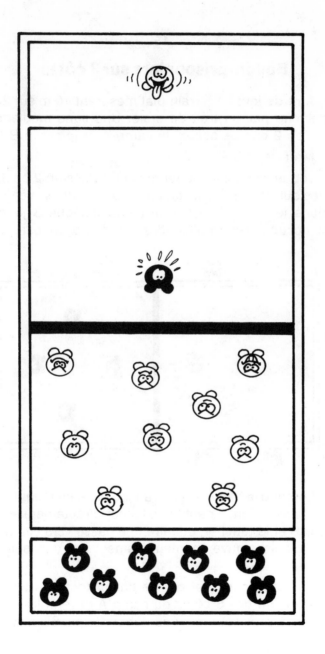

Ballon-prisonniers sur 3 côtés

Aire de jeu: un terrain plat mesurant 10 m sur 20 m et délimité par un trait de craie. Une ligne médiane le divise en 2 camps égaux: le camp A et le camp B.

Matériel: 1 ballon, craie.

Jeu et règles: les joueurs sont divisés en 2 équipes égales qui iront respectivement se placer dans le camp A et dans le camp B. Chaque camp délègue 3 joueurs pour occuper les 3 côtés libres du camp opposé.

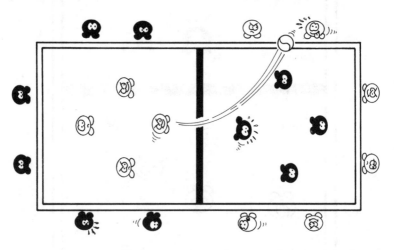

Lorsque le ballon est mis au jeu et qu'un joueur A est en sa possession, il peut ou le lancer directement sur un joueur B et le toucher, ou faire une passe vers l'un des 3 côtés où se trouve momentanément un des ses co-équipiers.

Si B est touché et que le ballon tombe à terre, B s'en va à l'un des 3 côtés du camp A et remplace celui qui était là provisoirement au début du jeu. S'il n'est pas le premier à se faire toucher et que ceux qui étaient provisoirement aux 3 côtés du camp A ont déjà été remplacés, il s'ajoute simplement aux prisonniers et choisit le côté qu'il veut occuper.

Si B attrape le ballon et ne le laisse pas tomber, il n'est pas touché et peut lancer sur un adversaire ou faire une passe.

Les prisonniers des 3 côtés peuvent se libérer en lançant le ballon et en touchant un adversaire.

Il n'est pas permis de dépasser les lignes pour lancer le ballon ou l'attraper. Cette faute équivaut à un toucher, pour un joueur qui n'est pas encore prisonnier; pour un prisonnier, cela annule son lancer et le ballon revient à l'équipe adverse.

L'équipe qui n'a plus de joueurs perd la partie.

16

Le ballon conquistador

Aire de jeu: un terrain d'environ 10 m sur 30 m.

Matériel: 1 ballon, montre ou chronomètre.

Jeu et règles: on divise d'abord les joueurs en 2 équipes égales, A et B, chacune occupant une partie du terrain. Entre les 2 camps, on laisse une zone neutre d'environ 7 mètres.

Le but du jeu est de conquérir le camp adverse en passant dans la zone ennemie. Pour y parvenir et devenir un "conquistador", un joueur doit saisir 3 fois le ballon au vol; cela fait, il passe dans le camp de l'adversaire où il peut évoluer à son gré pour saisir le ballon qu'il renversera de façon que ses coéquipiers puissent le saisir facilement et ainsi venir le rejoindre. La partie est gagnée quand toute une équipe a réussi à traverser dans la zone ennemie.

Après la mise au jeu, le ballon est lancé d'un camp à l'autre en va-et-vient. Le ballon doit être lancé et attrapé à l'intérieur des limites d'un camp et non dans le terrain neutre.

Tout joueur qui, sans autorisation de l'arbitre, touche au ballon dans la zone neutre est pénalisé: il ne peut jouer durant 3 minutes. Si le ballon va accidentellement dans cette zone, l'arbitre détermine l'équipe à laquelle il revient.

Quand un joueur est devenu conquistador et se promène dans le camp des ennemis, ceux-ci doivent tenter de lui nuire sans toutefois le toucher, sinon le conquistador a le droit d'effectuer 2 lancers de suite.

17

Le bombardement

Aire de jeu: un terrain de jeu très plat de 15 m sur 20 m.

Matériel: 1 à 3 ballons, des balles de tennis, bancs, troncs d'arbres, grosses branches.

Jeu et règles: des bancs, des troncs d'arbres ou de grosses branches sont déposés sur les lignes des petits côtés du rectangle de manière à obtenir des limites très visibles. On trace ensuite une ligne médiane séparant le terrain en deux espaces de 10 mètres chacun, puis on place le ou les ballons sur cette ligne.

Les joueurs sont séparés en 2 équipes égales et chacun possède 1 balle de tennis. Les joueurs de chaque équipe se répartissent sur toute la largeur de leur camp respectif.

Au signal de l'arbitre, ils "bombardent" de leur balle les ballons qui se trouvent sur la ligne médiane pour les faire avancer dans le camp adverse. Lorsqu'un ballon touche la limite (banc, tronc, etc.) du camp adverse, 1 point est marqué par l'équipe qui l'a fait avancer. Les 2 équipes doivent aussi, en le bombardant, freiner et repousser un ballon qui avance dans leur direction.

Les joueurs peuvent ramasser les balles mais ne doivent lancer que lorsqu'ils sont derrière la ligne centrale. Celui qui ne respecte pas cette règle fait perdre 1 point à son équipe.

18
La course aux numéros

Aire de jeu: un terrain de jeu très plat mesurant 20 m sur 20 m. 3 lignes le balisent aux extrémités et au milieu.

Matériel: 1 balle de tennis.

Jeu et règles: 2 équipes sont formées et prennent place respectivement aux extrémités du terrain, derrière la ligne de limite. 1 balle est placée sur la ligne du centre.

Chaque joueur d'une équipe reçoit un numéro et se place de manière que le numéro 1 d'un camp soit en face du numéro 1 de l'autre camp et ainsi de suite. Les joueurs peuvent être en position debout derrière la ligne de départ, ou assis, couchés, à plat ventre, etc.

L'arbitre crie un numéro, par exemple le 3. Les deux numéros 3 se précipitent au centre pour ramasser la balle. Celui qui la prend obtient 1 point pour son équipe et, s'il réussit à retourner dans son camp avant d'être touché par l'adversaire, il obtient un autre point.

Par contre, s'il est touché, son équipe n'obtient qu'un seul point, mais l'équipe adverse n'en obtient aucun. L'équipe qui accumule le plus de points gagne la partie.

19

Gendarmes et voleurs

Aire de jeu: n'importe quel terrain, dont on aura fixé préalablement les limites.

Matériel: montre ou chronomètre.

Jeu et règles: 2 camps — les "voleurs" et les "gendarmes". Pour commencer, un tirage au sort désigne qui sera gendarme ou voleur. Ensuite, les voleurs se dispersent sur le terrain et les gendarmes leur courent après, pour les amener à la prison située au fond du terrain de jeu. Les voleurs peuvent libérer des prisonniers en entrant dans la prison et en en touchant un ou plusieurs.

La partie est gagnée: par les gendarmes, lorsque *tous* les voleurs sont en prison avant que le temps limite de 15 minutes soit écoulé; par les voleurs, lorsqu'*aucun* d'eux n'est en prison à la fin de la durée du jeu.

Après une partie, on inverse les rôles.

20

L'arbre Sauve-Qui-Peut

Aire de jeu: un parc, une clairière ou une cour de 15 m sur 30 m possédant au milieu d'un des grands côtés un gros arbre ou un poteau.

Matériel: une montre.

Jeu et règles: le camp des "assaillants" occupe le grand côté du terrain en face de l'arbre. En dehors du camp, dans le rectangle du jeu, les "défenseurs", en nombre égal à celui des assaillants, sont éparpillés. Les assaillants doivent essayer de toucher l'arbre et, ainsi, marquer 1 point pour leur équipe. Cependant ils doivent

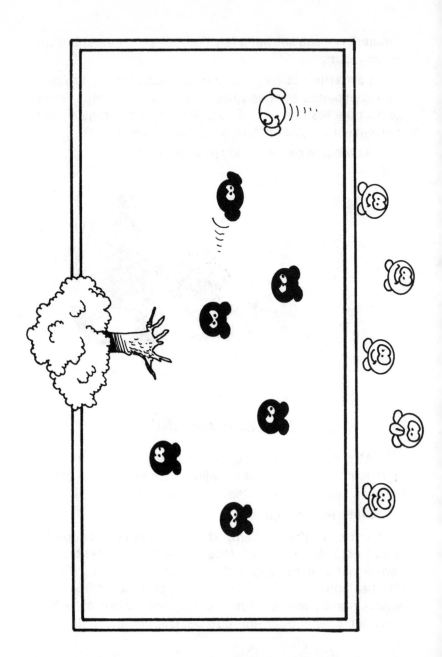

40

éviter d'être touchés par les défenseurs et, chaque fois qu'un point est marqué, retourner dans leur camp pour que le jeu reprenne.

S'ils sont touchés par les défenseurs, ils sont prisonniers et forment une "chaîne" qui doit toujours rester en contact avec l'arbre, mais peut se déplacer par sa partie libre. La chaîne est délivrée lorsqu'un assaillant la touche. Tous les assaillants retournent alors à leur camp en évitant de se faire prendre par les défenseurs. Si l'on y réussit, 3 points sont marqués et le jeu reprend. Si l'on n'y réussit pas, les assaillants touchés vont former la chaîne...

Les défenseurs doivent faire un maximum de prisonniers en poursuivant et touchant les assaillants. Lorsque la moitié des assaillants est prisonnière, le jeu s'arrête et les défenseurs marquent 10 points. Tous les assaillants retournent dans leur camp et le jeu continue.

À la moitié du temps prévu pour ce jeu, on inverse les rôles et l'équipe gagnante est celle qui a accumulé le plus de points.

21

Poursuite à relais

Aire de jeu: un terrain préférablement plat sur lequel on délimite un grand rectangle d'environ 25 m sur 50 m qui servira de trajet de course.

Matériel: 2 balles de tennis, montre.

Jeu et règles: on divise d'abord les joueurs en 2 équipes d'égale force. Celles-ci prennent ensuite position dans des coins opposés (en diagonale) du rectangle. Chaque équipe possède 1 balle et, au signal de l'arbitre, un joueur de chaque équipe court de manière à rattraper l'autre. S'il n'y parvient pas à la fin du tour du rectangle de jeu, il passe la balle au suivant qui continue la poursuite et essaie de rejoindre l'adversaire.

Si un joueur rejoint un adversaire, il marque 3 points pour son équipe et la course s'arrête. Les coureurs suivants attendent un nouveau signal pour repartir et continuer la course. Chaque fois qu'un coureur a exécuté un tour complet, il marque 1 point pour son équipe.

L'équipe gagnante est celle qui accumule le plus de points dans un temps donné (20 minutes par exemple).

N.B.: après chaque tour, le joueur a le temps de se reposer en attendant de repartir. Ce jeu peut aussi être pratiqué par 3 ou 4 équipes sur une surface appropriée (triangle, carré).

Drapeau à 2 cavaliers

Aire de jeu: un terrain plat assez vaste d'environ 20 m sur 50 m.

Matériel: 1 drapeau, brassards.

Jeu et règles: il convient d'abord de diviser les joueurs en "assaillants" et "défenseurs". À chacune des extrémités du terrain, on trace la ligne d'un camp: d'un côté, le camp A, celui des défenseurs; de l'autre, le camp B, celui des assaillants. À environ 5 mètres du camp des défenseurs et au milieu de la largeur, on plante un drapeau. Les extrémités du jeu sont réservés aux "prisonniers" des deux camps.

Le jeu débute quand défenseurs et assaillants sont dans leur camp respectif. Le chef des défenseurs lève le drapeau et donne ainsi le signal de départ.

Les assaillants, qui n'ont pas le droit de prendre de défenseurs, ont cependant dans leurs rangs 2 "cavaliers" qui ne peuvent être pris mais peuvent par contre éliminer tout défenseur. Leur rôle sera donc de protéger les autres assaillants dont l'objectif est de saisir le drapeau du camp des défenseurs. Mais attention! les cavaliers ne peuvent prendre le drapeau et doivent se tenir à au moins 2 mètres du camp des défenseurs.

Les assaillants sont identifiés par un brassard d'une couleur et ils sont pris par simple toucher par les défenseurs sur tout le terrain sauf dans les camps. Aussi identifiés par un brassard, d'une autre couleur, les défenseurs crient "pris!" quand ils touchent un assaillant. Ils doivent eux-mêmes le conduire vers la prison renfermant les assaillants. Quand un défenseur conduit ainsi un prisonnier, il ne peut être inquiété par un cavalier.

Pour bien indiquer son état d'intouchable, le défenseur court un bras en l'air.

Le drapeau pris, il est emporté dans le camp des assaillants sous la protection des cavaliers. Mais si l'assaillant porteur du drapeau est touché par un défenseur, l'arbitre siffle et l'assaillant laisse tomber le drapeau. Avant d'être touché, l'assaillant tente de remettre le drapeau à un coéquipier.

À ce moment, tous se précipitent pour reprendre le drapeau, sauf l'assaillant qui le possédait et le défenseur qui l'a touché. Si c'est un défenseur qui s'en empare, celui-ci peut le ramener à sa place originale sans être inquiété par les cavaliers.

Si c'est un assaillant, il doit, sous la protection des cavaliers, le ramener dans son camp sans se faire toucher. L'assaillant qui a repris le drapeau et qui constate qu'il est sur le point d'être touché le lâche sous peine d'être pris sur le fait, ce qui a pour conséquence d'arrêter le jeu et de donner la victoire aux défenseurs (voir variante ci-dessous).

Lorsqu'un cavalier prend un défenseur, celui-ci doit aller au camp prévu pour les prisonniers.

Un assaillant ne peut toucher son cavalier pour se défendre. S'il le fait, il sera automatiquement fait prisonnier.

Variante

Lorsque le défenseur a pris un assaillant se sauvant avec le drapeau, il a le choix entre: faire un prisonnier ou ramener le drapeau à sa base de départ. S'il choisit de ramener lui-même le drapeau, l'assaillant n'est pas fait prisonnier et celui-ci retourne dans son camp avant de revenir au jeu.

La partie est gagnée par les assaillants lorsque le drapeau est amené dans leur camp ou lorsque les cavaliers ont emprisonné la moitié des défenseurs.

La partie est gagnée par les défenseurs lorsqu'ils ont emprisonné la moitié des assaillants ou lorsqu'il y a une prise sur le fait.

23

2 drapeaux avec cavaliers

Aire de jeu: un terrain plat de 25 m sur 50 m, sur la largeur duquel on trace une ligne médiane séparant le terrain en deux parties égales. 1 drapeau est placé à 5 m de chacune des lignes de fond.

Matériel: 2 drapeaux, brassards.

Jeu et règles: les cavaliers "blancs" s'opposent aux "bleus". La première équipe qui ramène le drapeau dans son camp gagne. Pour se défendre, chaque camp envoie ses 2 cavaliers dans le camp adverse (entre limite du camp et ligne médiane). Les cavaliers ont le droit de prendre leurs adversaires n'importe où sur la surface de jeu (en les touchant).

Les cavaliers bleus peuvent prendre les cavaliers blancs lorsqu'ils dépassent la ligne médiane du jeu. L'inverse, évidemment, est aussi valable.

Les joueurs peuvent prendre leurs adversaires en les touchant aussitôt que ceux-ci ont franchi la ligne médiane. Les joueurs touchés doivent quitter le jeu et se tenir sur les lignes de côté.

Le jeu se termine lorsqu'une des deux équipes a amené le drapeau adverse dans son camp ou quand il n'y a plus de combattants dans un camp ou l'autre (sauf les cavaliers).

Si celui qui porte le drapeau est pris avec le drapeau en main, il le laisse tomber par terre et celui qui l'a touché le prend à son tour. Celui qui avait le drapeau n'est pas éliminé mais il ne peut toucher le nouveau porteur du drapeau.

24
2 drapeaux avec refuges

Aire de jeu: un terrain plat de 25 m sur 50 m.

Matériel: 4 drapeaux de 2 couleurs différentes, brassards.

Jeu et règles: ce jeu est une variante du précédent, mais on trace cette fois une ligne médiane partageant le terrain en 2 parties égales, puis 2 autres lignes partant des extrémités de chaque camp et traversant le jeu en diagonale. Les triangles A et B sont les refuges pour l'équipe des blancs, alors que les triangles C et D sont les refuges des bleus. À l'intérieur des triangles, les joueurs ne peuvent être inquiétés. Ils y attendent l'occasion favorable pour prendre le drapeau adverse. 2 drapeaux blancs et 2 drapeaux bleus sont placés à 5 mètres en avant de chaque camp respectivement et espacés de 3 mètres l'un de l'autre.

Les règles sont sensiblement les mêmes que celles du jeu **2 drapeaux avec cavaliers**. Chaque équipe doit s'emparer du drapeau de l'autre et est protégée par 2 cavaliers.

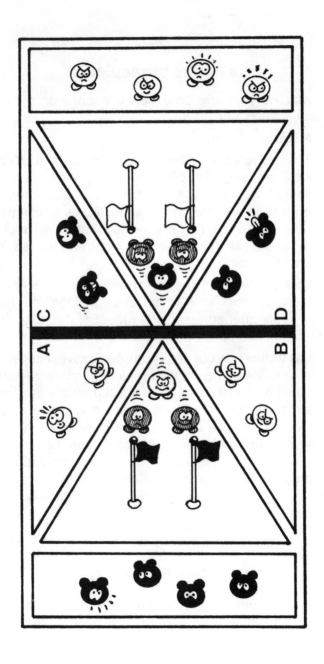

La pêche miraculeuse

Aire de jeu: une pelouse ou encore un gymnase d'environ 20 m sur 30 m.

Matériel: aucun.

Jeu et règles: à chaque extrémité de la surface de jeu, il y a un camp. Tous les joueurs "truites" sauf deux "pêcheurs" se répartissent dans ces 2 camps, les pêcheurs se tenant par contre au milieu du jeu, entre les deux. Au signal de l'arbitre, le jeu consiste, pour les truites, à passer d'un camp à l'autre sans se faire prendre (toucher).

Lorsque les truites sont prises, elles deviennent à leur tour pêcheurs en formant des "chaînes" de 4 ou 5 truites. Mais attention! seuls les joueurs des extrémités de la chaîne attrapent des truites.

Les truites non encore capturées peuvent cependant briser la chaîne en passant au travers: la truite qui réussit cet exploit obtient 1 point. Il est aussi possible aux truites de passer sous la chaîne sans se faire prendre, mais sans marquer de point. À chaque fois qu'une truite réussit à atteindre l'autre camp, elle obtient 1 point. Le jeu prend fin quand il ne reste que 3 truites en circulation. On désigne ensuite 2 nouveaux pêcheurs et le jeu reprend. C'est la truite qui aura amassé le plus de points qui gagne à la fin.

Fort Apache

Aire de jeu: jeu en forêt qui nécessite une carte sur laquelle on délimite une zone d'environ 50 mètres de diamètre. Dans la forêt, le fort Apache sera représenté par 3 fanions distants de 2 mètres l'un de l'autre, formant un triangle.

Matériel: foulards ou rubans, 3 fanions, carton, montre.

Jeu et règles: les joueurs se divisent en 2 groupes égaux: les "Apaches" et les "soldats". Les Apaches vont prendre position sur le terrain désigné et y installent un fort. Les soldats partent 10 minutes plus tard afin de conquérir fort Apache, dont ils connaissent la position approximative sur la carte.

Les Apaches se cachent près de leur fortin et attaquent l'envahisseur par petits groupes. Lorsque la situation devient critique en raison de l'avance des soldats, ils se replient autour du fort mais ne peuvent s'en approcher à plus de 10 mètres.

Lorsque 5 soldats y ont pénétré, le fort est pris et le jeu s'arrête. On inverse alors les rôles.

Chaque joueur porte un foulard ou un ruban à la ceinture. Lorsque celui-ci est pris, le joueur est éliminé et doit retourner à toute vitesse à sa base en chercher un autre pour revenir dans la bataille.

Lorsque fort Apache est pris avant la fin du temps imposé, les soldats reçoivent 5 points supplémentaires, qui s'ajoutent au nombre de foulards pris (1 point par foulard). Si le fort n'est pas conquis dans le temps limite, les Apaches reçoivent 5 points en plus du nombre de points représentés par chaque foulard pris.

On doit imposer une limite de temps, environ 25 minutes.

27

La curieuse soucoupe volante

Aire de jeu: une forêt assez dense mais aux sentiers bien visibles...

Matériel: cônes, fanions, foulards ou rubans.

— MAINTENANT, PASSONS AU JEU DE
LA CURIEUSE SOUCOUPE VOLANTE...

Jeu et règles: les joueurs sont divisés en 2 équipes égales. Une équipe joue le rôle des "Martiens" dont la soucoupe volante est tombée en panne. Les Martiens partent 10 minutes avant les "curieux" et installent leur soucoupe volante, un cercle de 10 mètres de diamètre, faite avec des fanions ou des cônes; la soucoupe doit être relativement visible à 10 mètres. Puis les Martiens se cachent tout autour.

10 minutes après leur départ, les curieux essaient le plus rapidement possible de découvrir la soucoupe volante et d'y entrer pour la visiter.

Tous les joueurs des deux équipes portent des foulards à la ceinture. Les Martiens défendent leur soucoupe volante en prenant par surprise le foulard d'un curieux qui, de ce fait, ne peut plus pénétrer dans la soucoupe mais peut continuer le jeu en se chargeant d'attraper le foulard d'un Martien qui devient paralysé et inoffensif.

Lorsque 10 curieux ont envahi la soucoupe volante, le jeu s'arrête. Le nombre de foulards capturés détermine l'équipe gagnante. Pour la suite, on inverse les rôles.

28

Les poissons volants

Aire de jeu: un terrain plat limité par 2 lignes distantes de 20 m à 25 m.

Matériel: poissons de papier (découpés dans du papier léger).

Jeu et règles: tracer sur les 2 lignes des cercles de 1 mètre de diamètre, distants de 2 mètres: ce seront les bases de départ ou d'arrivée pour les "poissons volants".

Séparer ensuite les joueurs en équipes de 6 ou 8. La moitié des joueurs d'une équipe prend place derrière un cercle, l'autre moitié se place derrière le cercle d'en face sur la ligne opposée. Les joueurs se placent l'un derrière l'autre, en file indienne. Chaque équipe place son poisson volant dans le cercle de départ.

Au signal, le premier joueur de l'équipe se met à quatre pattes et fait avancer le poisson volant en soufflant dessus jusqu'à ce que celui-ci arrive dans le cercle de la ligne opposée. Là, le premier joueur prend le relais en faisant voler le poisson volant, toujours en soufflant dessus et à 4 pattes, pour le retourner dans le cercle de départ où, à son tour, le joueur suivant poursuivra le vol du poisson. Ceci jusqu'à ce que tous aient participé.

Le premier joueur à terminer fait marquer le maximum de points à son équipe. Par exemple: 5 points; le second: 4 points; le troisième: 3 points, etc. On peut aussi n'accorder que 1 point au vainqueur. On reprend la course mais en variant: 1) à 4 pattes sans poser les genoux sur le sol; 2) à 3 pattes, un pied ne touchant pas le sol, gauche puis droit; 3) à 3 pattes, une main ne touchant pas le sol, gauche puis droite.

29
Roule la boule

Aire de jeu: un grand terrain très plat.

Matériel: 2 ballons.

Jeu et règles: 2 lignes distantes de 30 mètres sont d'abord tracées l'une en face de l'autre. Sur chacune, à 3 mètres de distance l'un de l'autre, on dessine aussi 2 cercles qui font face aux 2 cercles de l'autre ligne tracée à 30 m. Ces cercles serviront de point de départ et d'arrivée.

—MAINTENANT, AVEC LE NOMBRIL,
SUR LA TÊTE, UN GENOU AU SOL, UN PIED EN L'AIR, UNE
MAIN DANS LE DOS ET UN DOIGT DANS L'OREILLE GAUCHE...

Former des équipes de 6 ou 8 joueurs et séparer ces équipes en demi-équipes. Chaque demi-équipe prend place derrière un cercle faisant face à celui de l'autre demi-équipe.

Chaque équipe possède 1 ballon dans son cercle de départ. Au signal, le premier joueur doit faire rouler jusqu'au cercle de ses partenaires d'en face où, à son tour, un joueur doit de la même manière faire rouler le ballon pour le retourner au point de départ. Là, un autre joueur poursuivra le jeu et ainsi de suite jusqu'au moment où tous ont passé à leur tour. À ce moment, le premier à terminer fait gagner 1 ou plusieurs points à son équipe.

Le ballon peut être poussé:

1) avec la tête, à 4 pattes, genoux sur le sol,

2) avec la tête, à 4 pattes sans poser les genoux sur le sol,

3) avec une main, à 4 pattes avec ou sans genoux sur le sol,

4) avec un pied, à 4 pattes avec ou sans genoux sur le sol.

N.B.: faire le jeu avec la partie droite puis la partie gauche du corps pour que l'effort physique soit équilibré.

30
Passe-partout

Aire de jeu: un pré, une clairière ou un parc.

Matériel: 6 ballons (3 blancs et 3 bruns), 5 seaux ou boîtes vides.

Jeu et règles: on trace d'abord un grand cercle de 25 mètres de diamètre au milieu de l'endroit choisi pour le jeu. Au centre du cercle, on place, en faisant alterner les couleurs, les 6 ballons de façon à former un autre cercle, cette fois de 2 mètres de diamètres.

À 20 mètres à l'extérieur du grand cercle, on dispose à intervalles réguliers les 5 seaux, qui serviront de buts.

Deux équipes, A et B, sont constituées d'un nombre égal de joueurs. L'équipe A prend les ballons blancs et l'autre les bruns. Chacune délègue un défenseur par ballon; ceux-ci s'installent à 1 mètre devant le ballon qu'ils doivent protéger. Les autres joueurs se répartissent dans le grand cercle. Au signal, ils essayent de saisir et de transporter les ballons adverses à l'extérieur du grand cercle pour les lancer dans les seaux.

À l'intérieur du grand cercle, les gardiens des ballons peuvent toucher (éliminer) leurs adversaires, qu'ils soient ou non porteurs d'un ballon. Si un porteur de ballon parvient à sortir du cercle sans être touché, il doit essayer de mettre le ballon dans un des seaux vides. Il devra éviter de se faire toucher par les autres joueurs adverses.

Le porteur s'en tire en faisant une passe à un coéquipier qui, à son tour, passe le ballon à un autre coéquipier.

Lorsque les 5 seaux contiennent chacun un ballon, le jeu s'arrête. Quant au 6ième ballon — celui qui a été le mieux protégé —, c'est l'équipe qui le possédait au début du jeu qui gagne la partie.

Un joueur touché dans le grand cercle par un défenseur doit retourner à l'extérieur de celui-ci et s'il n'a pas de ballon en main, toucher un seau de la main avant de reprendre sa place.

Le joueur porteur d'un ballon, qui est touché à l'intérieur ou à l'extérieur du grand cercle, doit remettre le ballon à sa place et aller toucher un seau avant de reprendre le jeu.

Le ballon intercepté à l'extérieur du grand cercle est remis à sa place derrière son défenseur.

Un joueur ne peut transporter qu'un ballon à la fois.

Les défenseurs ne peuvent pénétrer à l'intérieur du petit cercle des ballons ni sortir du grand cercle.

31

Le message des extra-terrestres

Aire de jeu: un grand bois d'au moins 1 kilomètre carré.

Matériel: feuilles de papier, foulards, brassards, fanions, montre.

Jeu et règles: 2 soucoupes volantes venant d'une planète inconnue ont atterri de part et d'autre d'un grand bois de 1 kilomètre carré. Leur radio est en panne depuis qu'ils sont entrés dans l'atmosphère de la terre. Par malchance, les moteurs de la soucoupe "X" ne fonctionnent plus. Les membres de l'équipage veulent entrer en communication avec l'autre soucoupe volante où se trouve leur chef "Y" mais, pour cela, ils doivent traverser le bois, qui est infesté de soldats ayant pour mission de les capturer...

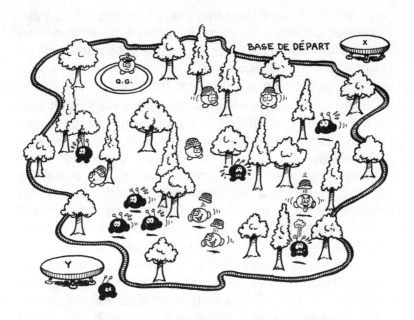

Les joueurs sont divisés en 2 équipes égales; les extra-terrestres et les soldats. Les "E.T." ont une base de départ située en dehors du bois, à un endroit — connu des soldats — où leur soucoupe est stationnée. Ils doivent traverser le bois en se cachant pour rejoindre leur chef qui est à l'autre extrémité du bois. Les soldats ne connaissent pas ce lieu d'atterrissage, alors que les extra-terrestres le connaissent.

Au moment d'entrer dans le bois, le responsable de la soucoupe "X" remet un fragment d'un long message à chacun de ses coéquipiers. Ce message, une fois tous les morceaux réunis, permet de savoir le lieu d'atterrissage de "Y".

Les soldats ont pour mission d'attraper les extra-terrestres, de les emprisonner et de rassembler le plus grand nombre de fragments du message pour découvrir où est "Y". Ils sont identifiés par un foulard blanc. Pour capturer un extra-terrestre, ils doivent lui enlever son brassard d'identification et se mettre à 3 soldats pour le conduire au Q. G. (quartier général) situé à un endroit déterminé à l'avance, au centre du bois.

Au fil du jeu, les fragments du message sont rassemblés. Un général doit être nommé pour coordonner cette mission. Lorsque suffisamment de renseignements ont été rassemblés, les soldats passent discrètement à l'attaque de la soucoupe volante de "Y", alors que les extra-terrestres qui ont réussi à la rejoindre doivent en défendre l'accès en faisant à leur tour des prisonniers (soldats), à condition cependant que ceux-ci soient hors du bois (pas de soldats prisonniers dans le bois).

Pour qu'un soldat soit prisonnier, il faut lui enlever son foulard. Un extra-terrestre, seul, peut s'emparer d'un soldat et le conduire dans la soucoupe volante de "Y" dont les limites sont celles d'un cercle de 20 mètres de diamètre identifié par des fanions.

Les extra-terrestres faits prisonniers doivent être emmenés avec la troupe et gardés de manière qu'ils ne s'échappent pas pour se réfugier dans la soucoupe volante de "Y" et devenir des défenseurs.

Les extra-terrestres gagnent lorsqu'ils réussissent, sans qu'aucun d'eux ne soit fait prisonnier, à rejoindre la soucoupe volante ou lorsque la moitié des soldats sont prisonniers dans la soucoupe de "Y".

Les soldats gagnent quand 5 d'entre eux ont pénétré à l'intérieur de la soucoupe de "Y" ou lorsque la moitié des extra-terrestres sont prisonniers.

Le jeu terminé, on inverse les rôles. Pour assurer un certain équilibre, on peut imposer un temps limite.

32

"La boule au pot"

Aire de jeu: une surface plane de quelques mètres.

Matériel: les joueurs, divisés en 2 équipes, se couchent sur le ventre l'un derrière l'autre de façon à former un cercle. La grandeur de celui-ci sera proportionnelle au nombre de participants mais devra être identique d'une équipe à l'autre.

Au centre de chaque cercle, on met 1 boîte de carton ouverte vers le haut. Chaque joueur doit s'efforcer de lancer le ballon dans la boîte pour marquer 1 point. Mais attention! Au signal de l'arbitre indiquant le début du jeu, les joueurs doivent prendre et conserver tout le temps cette position: corps raide, appui sur la pointe des mains et des pieds, bras et jambes tendus.

Après chaque point, l'arbitre remet immédiatement le ballon au jeu. Si un joueur, en possession ou non du ballon, tombe ou met un genou sur le sol, il est "mort" et sort du jeu.

On compte le nombre de buts marqués jusqu'à ce que les deux tiers des joueurs d'une équipe soient sortis du jeu.

Variantes: appui d'un pied seulement; appui d'un bras seulement; debout en équilibre sur un pied.

33

Le noir et le blanc

Aire de jeu: un terrain limité par des cônes ou des fanions.

Matériel: 4 cônes ou fanions, un panneau de carton avec un côté noir et un côté blanc, montre.

Jeu et règles: les joueurs se divisent en 2 camps égaux; les "blancs" et les "noirs". Les blancs s'attachent un foulard autour d'un bras pour se différencier des noirs. Les joueurs des deux camps sont mélangés. L'arbitre, debout sur une chaise de façon à être bien vu de partout, tient le panneau de carton par une ficelle. Il le fait tourner plusieurs fois sur lui-même, puis l'arrête brusquement et ne montre qu'un seul côté aux joueurs. Si le disque montre la face noire, les joueurs du camp noir attrapent en les touchant les joueurs blancs. Le joueur touché doit s'asseoir mais est délivré s'il est touché par un coéquipier.

L'arbitre doit veiller à ce que le jeu soit très animé en faisant tourner le disque assez fréquemment. Lorsque 5 joueurs d'une équipe sont assis en même temps, l'équipe adverse marque 1 point. L'équipe qui a le plus de points en un temps déterminé gagne.

34
La chasse à la baleine

Aire de jeu: une clairière, un champ, un chemin en forêt, une cour d'école d'une longueur d'environ 50 mètres.

Matériel: cordelettes, 1 tronc d'arbre coupé (1 mètre de long, 20 centimètres de diamètre), 2 cordes, 5 gros clous. Dans ce jeu, la baleine est représentée par un tronc d'arbre placé au milieu du terrain sur lequel on plante 5 gros clous alignés sur toute la longueur du tronc.

Jeu et règles: 2 équipes d'égale force sont formées. Les joueurs de chacune ont, à hauteur des chevilles, les jambes attachées à celles de leurs voisins. Chaque équipe forme une baleinière dont le premier joueur est le "harponneur". Celui-ci tient en main un harpon, représenté par 2 cordelettes (cordes à sauter) attachées ensemble et dont une extrémité est en forme de boucle non coulissante.

Au signal de l'arbitre, les baleinières, qui sont chacune à leur port d'attache à chaque extrémité du terrain de jeu, s'avancent vers la baleine. Le premier harponneur qui y parvient passe la boucle de sa corde dans un des clous de la baleine et la baleinière s'efforce de regagner son port d'attache aussi vite que possible. La seconde baleinière s'efforce de rejoindre la première, de harponner le poisson à son tour et de le tirer jusqu'à son port en donnant des coups brusques de manière que le harpon de la première baleinière se décroche. L'équipe qui parvient au port avec la baleine au bout du harpon marque 1 point.

35

Ben-Hur

Aire de jeu: une clairière assez grande ou un chemin de forêt. On trace un parcours de 300 à 500 mètres avec des obstacles (troncs d'arbres, fossés, etc.).

Matériel: cordelettes, cônes, branches d'arbustes feuillues, troncs d'arbres.

Jeu et règles: une équipe comprend 6 joueurs; 3 de ceux-ci s'attachent l'un à l'autre à hauteur de ceinture de manière à former une ligne. 2 autres joueurs se placent derrière les 3 premiers en les tenant à la ceinture et en courbant le dos. Le dernier des 6 joueurs,

Ben-Hur, se place debout sur les 2 joueurs courbés en se tenant solidement aux rênes (cordelettes) attachées autour de la taille de 2 (celui de gauche et celui de droite) des 3 joueurs de tête. Le char ainsi formé prend part avec les autres chars à la "course romaine". Le char franchissant le premier la ligne d'arrivée marque 10 points, le second, 9, le troisième, 8, etc.

- UNE MINUTE LES GARS, J'AI PERDU UNE ROUE!

Le parcours peut être répété plusieurs fois en changeant les rôles au sein de l'équipe. L'équipe dont le Ben-Hur tombe perd 1 point. Celle qui a accumulé le plus de points remporte la couronne romaine (qui peut être tressée d'avance avec des branches d'arbustes feuillues).

36
L'attelage esquimau

Aire de jeu: un pré, une clairière ou un chemin en forêt.

Matériel: planches de bois (50 cm sur 50 cm), corde-lettes, clous.

Jeu et règles: on trace d'abord un parcours de 300 à 500 mètres de long sous forme de boucle (départ et arrivée au même endroit). Dans ce jeu, une équipe comprend 4 joueurs: le "conducteur" du traîneau et ses 3 "chiens". Le traîneau est représenté par une planche de bois contre-plaqué d'environ 50 cm sur 50 cm. Sur le côté qui servira de partie avant du traîneau sont fixées au moyen de clous 3 cordelettes également espacées; les chiens les utiliseront pour tirer le traîneau. Le conducteur prend place sur le traîneau et tient les rênes (cordelettes) le rattachant aux 2 chiens d'extrémité.

Tous les attelages prennent place sur la ligne de départ et, au signal, s'élancent. Le premier attelage à franchir la ligne d'arrivée marque 10 points, le second 9 points, etc. Il est permis au conducteur de mettre un pied à terre pour pousser son traîneau et aider ses chiens. Il ne peut cependant, sous peine d'élimination, mettre les deux pieds sur le sol.

L'équipe gagnante est celle qui obtient le plus de points. On peut évidemment organiser plusieurs courses entre les équipes et intervertir les rôles au sein des équipes.

Ballon contre quilles

Aire de jeu: un espace de 20 m sur 40 m.

Matériel: un espace de jeu est tracé; ses limites sont indiquées par 1 cône aux 4 coins. La ligne médiane du terrain est déterminée par 2 cônes. Sur chaque ligne de fond du terrain, 3 quilles sont placées à égale distance les unes des autres (1, 2 ou 3 mètres).

Ce jeu, exécuté uniquement avec les pieds, consiste à faire tomber, à l'aide du ballon, 1 quille du camp adverse. Pour progresser, les joueurs d'une équipe le poussent, effectuent des passes, contournent les adversaires. Selon les exigences du jeu, un joueur est parfois attaquant, parfois défenseur.

L'affrontement commence quand l'arbitre met le ballon au jeu au centre du terrain. L'utilisation des mains est défendue, sauf pour remettre le ballon au jeu après qu'il est sorti des limites de côté du terrain. Par contre, quand le ballon dépasse l'une des lignes de fond, le jeu continue, c'est-à-dire que l'on peut jouer à l'arrière des quilles. L'équipe qui a marqué le plus de points en 20 ou 30 minutes gagne le match.

38

Le gros méchant loup

Aire de jeu: une clairière ou un sous-bois aux limites bien distinctes, précises et visibles (200 m sur 200 m environ).

Matériel: aucun.

Jeu et règles: un joueur est choisi pour être le "méchant loup", les autres étant les "agneaux". Le loup va se cacher et les agneaux sont parqués dans leur enclos, un cercle de 3 à 5 mètres de diamètre qui leur sert de refuge. Lorsque le loup crie: "Hou! Hou!", les agneaux sortent de leur enclos et vont à sa recherche.

Le premier qui l'aperçoit crie: "Le gros méchant loup". À ce moment, tous les agneaux courent se mettre à l'abri dans leur enclos avant que le loup les attrape en les touchant. Les agneaux attrapés deviennent loups pour l'épisode suivant du jeu. Quant au premier loup, il devient agneau. Quand le jeu a repris et qu'un loup est remarqué, tous les loups sortent alors de leur cachette pour attraper les agneaux. Le premier agneau qui aperçoit un loup marque 3 points et les 3 derniers agneaux à rester dans l'enclos marquent 1 point chacun. Le jeu prend fin quand il ne reste que 3 agneaux ou moins.

– LE GROS MÉCHANT LOUP !!!
– C'EST BON, TROIS POINTS...

39
Le rayon laser

Aire de jeu: un emplacement sur n'importe quelle sorte de terrain.

Matériel: 1 chronomètre, des baguettes de bois (branches souples d'arbustes longues de 50 centimètres).

Jeu et règles: les joueurs sont divisés en 2 équipes: les "bonshommes verts" et les "villageois". Les premiers, venus d'une autre planète, ont envahi un petit village dont les habitants sont sans défense. Les bonshommes verts possèdent chacun un laser (branche) avec lequel ils transforment en "statue" les villageois lorsque ceux-ci sont touchés dans le dos.

- BEN, JE L'AI TOUCHÉ AVEC MON LASER ET IL S'EST EFFONDRÉ...

Les villageois ainsi paralysés doivent rester figés sur place en attendant qu'un villageois vienne les délivrer en les touchant pour qu'ils puissent continuer de jouer. Lorsque tous les villageois sont paralysés, le jeu s'arrête et on note le temps qu'il a fallu aux envahisseurs pour figer tous les villageois. Les rôles sont inversés et on reprend le jeu. L'équipe qui a mis le moins de temps à transformer les villageois en statues est déclarée gagnante.

Les 3 quilles

Aire de jeu: une surface plane.

Matériel: 3 quilles.

Jeu et règles: se tenant solidement par la main et formant un cercle au centre duquel on a installé en forme de triangle 3 quilles espacées de 50 centimètres, les joueurs se tiraillent mutuellement de manière que l'un d'entre eux fasse tomber 1 quille et soit donc éliminé du cercle. Le dernier joueur, celui qui n'a pas fait tomber de quille, est déclaré vainqueur et marque 1 point. Le jeu reprend et les points sont accumulés, le vainqueur étant celui qui en a le plus à la fin du jeu.

Une variante: on divise les joueurs en 2 équipes et on forme le cercle en alternant les adversaires. Dans ce cas, les points accumulés vont à l'une ou à l'autre des équipes et la gagnante est celle qui en a le plus après un temps déterminé.

41

La balle volée

Aire de jeu: un terrain plat d'au moins 50 mètres de long.

Matériel: 2 balles.

Jeu et règles: 2 lignes sont tracées face à face à 50 mètres l'une de l'autre; entre les deux, on dépose deux balles distantes de 5 mètres sur la ligne médiane.

Les joueurs forment deux équipes égales en nombre; chacune compte un joueur portant le numéro 1, un le numéro 2, etc. Chaque équipe se place sur sa ligne respective, puis, lorsque l'arbitre crie un numéro, les 2 "voleurs" portant ce numéro se précipitent vers les balles pour s'en emparer d'une. Chacun doit la ramener dans son camp. Les défenseurs doivent toucher les voleurs lorsque ces derniers ont une balle en leur possession.

Si les voleurs réussissent à ramener une balle sans être attrapés, ils marquent 1 point pour l'équipe. Si, au contraire, ils sont touchés avant d'y parvenir, ce sont les défenseurs qui marquent 1 point. L'équipe ayant le plus de points à la fin de la partie est déclarée victorieuse.

L'aigle et le vautour

Aire de jeu: un terrain plat.

Matériel: 1 animal en peluche.

Jeu et règles: 2 lignes distantes de 30 mètres sont tracées l'une en face de l'autre. Entre celles-ci, au milieu, on dépose 1 animal en peluche (ourson ou autre). 2 équipes, les "aigles" et les "vautours", sont formées et prennent place sur leur ligne respective aux extrémités du jeu.

Un premier vautour s'avance vers l'"ourson" pour le saisir entre ses griffes, mais en même temps un aigle, celui qui se trouve juste en face de lui, fait de même. Le vautour cherche à prendre le petit animal, mais l'aigle, qui ne peut s'approcher à moins de 1 à 2 mètres (selon la force des joueurs) de son adversaire, le surveille, prêt à l'attraper en le touchant aussitôt qu'il aura saisi l'ourson, avant qu'il ait eu le temps de retourner dans son nid (son équipe). Si l'aigle touche le vautour avant qu'il retourne dans son nid, ce dernier est "mort" et est éliminé.

Par contre, si le vautour retourne à son nid avec l'animal dans ses griffes et avant d'être touché, c'est l'aigle qui est éliminé. Lorsqu'une des deux équipes est entièrement éliminée, on change les rôles et on reprend le jeu tout en donnant 1 point à l'équipe dont un ou plusieurs joueurs sont encore en jeu.

43

Les brigands

Aire de jeu: un boisé aux limites précises.

Matériel: fanions ou morceaux de tissu, montre.

Jeu et règles: 2 équipes sont formées, les "brigands" et les "voyageurs". Au début du jeu, les voyageurs désignent un endroit qui leur servira de refuge et les brigands se cherchent une caverne secrète. À quelques dizaines de mètres devant le refuge, on trace une ligne de démarcation que ne pourront franchir les brigands et en deçà de laquelle les voyageurs sont en sécurité.

Au signal de l'arbitre, les voyageurs se promènent en forêt en criant: "Est-ce qu'il y a des brigands dans le bois?" Les brigands sortent alors discrètement de leur caverne et, au moment opportun, poursuivent les voyageurs qui doivent alors se sauver vers leur refuge.

Ceux qui sont attrapés (touchés) sont prisonniers et l'un des brigands les amène à la caverne par un chemin détourné de peur que les voyageurs la découvrent et viennent délivrer, en les touchant, les prisonniers. Avant de pouvoir revenir au jeu, un voyageur libéré doit retourner à son refuge où un arbitre prend en note son nom.

À la fin du temps prévu, gagne l'équipe qui a emprisonné ou libéré le plus grand nombre de voyageurs. Le jeu prend aussi fin avant l'expiration du temps prévu lorsque tous les voyageurs sont emprisonnés. Les brigands gagnent alors.

44

Halte-là!

Aire de jeu: une zone de jeu d'environ 20m sur 30m sur un terrain plat et sans obstacles.

Matériel: 1 balle de tennis ou 1 ballon.

Jeu et règles: on forme deux équipes, les "chasseurs" et les "chevreuils". Le sort désigne comme équipe des chasseurs, celle qui possédera la balle la première. Un joueur de l'équipe des chevreuils lance ensuite la balle en l'air, le plus haut possible, et tous se dispersent en courant.

Un chasseur doit attraper la balle et, cela fait, il crie: "Halte-là!". Tous s'immobilisent. Ce chasseur lance alors la balle et touche un chevreuil ou effectue une passe à un chasseur en meilleure position. S'il rate l'animal ou si la balle n'est pas directement attrapée par un chasseur, tous se remettent à courir jusqu'à ce que la balle soit de nouveau en possession d'un chasseur qui crie: "Halte-là!", pour ensuite lancer ou passer.

Pour attraper ou éviter la balle, un joueur peut se baisser ou se déplacer le corps de côté, mais ne peut effectuer un seul pas. Si le chevreuil attrape la balle, il la relance en l'air et le jeu continue; le chasseur qui a lancé la balle est alors éliminé. Lorsqu'un chevreuil est touché, il est également éliminé. L'équipe gagnante est celle qui élimine complètement l'autre. On inverse les rôles et on reprend une nouvelle partie.

Ballon, cavalier et cheval

Aire de jeu: un rectangle de 20m sur 30m.

Matériel: 1 ballon, 2 grosses boîtes de carton, 1 montre.

Jeu et règles: on trace en premier lieu une ligne médiane, séparant ainsi la longueur du rectangle en deux carrés. Sur les lignes de fond, on dispose une boîte de carton ouverte vers le haut de manière à pouvoir y faire entrer le ballon. 2 équipes sont ensuite formées, comportant chacune autant de cavaliers que de chevaux.

- BEN QUOI ?!... PERSONNE N'A VOULU QUE JE MONTE SUR SON DOS !

Les cavaliers montent sur le dos de leur cheval et se dispersent dans leur camp respectif. Le sort désigne l'équipe qui aura le ballon au début de la partie, et, au signal, les cavaliers, montés sur leur monture, avancent en direction du but adverse (boîte de carton) afin d'y placer le ballon. Comme les cavaliers n'ont pas le droit d'avancer avec le ballon en main, ils doivent faire des passes sans descendre de leur cheval.

Si un cavalier de l'équipe qui possède le ballon met un pied par terre, le ballon est donné à l'équipe adverse. À ce moment, on en profite pour changer les rôles "cavalier/cheval"; on inverse aussi ces rôles lorsqu'il y a arrêt du jeu, un but marqué ou une sortie du ballon en dehors des limites. Dans tous les cas, le ballon est enlevé à l'équipe qui l'a touché en dernier.

Le ballon au sol peut être pris par n'importe quel cavalier des deux équipes, mais, pour s'en emparer, le cavalier ne peut descendre de son cheval. C'est à lui de se baisser. Si le cavalier met le pied à terre ou tombe, le ballon appartient à l'autre équipe.

Dans un temps déterminé à l'avance, le plus grand nombre de points marqués par une équipe désigne les vainqueurs.

46

Les centaures

Aire de jeu: un terrain plat, aux limites connues, sur lequel évoluent des "centaures" et des "cavaliers".

Matériel: 1 ballon.

Jeu et règles: les cavaliers, montés sur le dos des centaures, forment un grand cercle et se passent le ballon sans le laisser tomber à terre. Les centaures, par contre, sautillent et se trémoussent de manière à faire perdre le ballon aux cavaliers. Lorsque le ballon tombe sur le sol, les cavaliers descendent des centaures et fuient vers les limites du terrain. Aussitôt, un centaure se précipite, ramasse le ballon et cherche à atteindre un cavalier en lançant le ballon ou en faisant une passe à un autre centaure qui, lui, tentera d'atteindre un cavalier.

Si le centaure rate sa cible, les cavaliers remontent sur le dos de leur monture et le jeu continue. Par contre, lorsqu'un cavalier est atteint par le ballon, les rôles sont inversés et les centaures marquent 1 point.

Si un cavalier attrape le ballon au vol, l'équipe des cavaliers gagne 3 points. À la fin de la partie, dont la durée doit être déterminée à l'avance, l'équipe qui a le plus de points l'emporte.

Les ricochets

Aire de jeu: une clairière, un terrain ou un gymnase.

Matériel: 1 ballon.

Jeu et règles: une équipe forme un grand cercle de 1 à 10 mètres de diamètre au centre duquel se tiennent les joueurs de l'autre équipe. Les joueurs formant le cercle doivent s'échanger le ballon. Cependant, ils ne peuvent le faire qu'en lançant le ballon à travers le cercle et uniquement par ricochet, le ballon devant toucher une fois le sol avant de parvenir à un coéquipier.

Les joueurs du centre doivent intercepter le ballon. S'ils y réussissent, ils marquent 1 point. Après une interception, le ballon est rejeté hors du cercle en étant lancé non par-dessus des joueurs adverses mais entre eux. Le joueur qui effectue ce lancer ne peut se déplacer. S'il réussit, les joueurs du centre obtiennent un autre point.

Si un joueur formant le cercle attrape ou bloque le ballon, son équipe marque 1 point et il y a alors changement de rôles entre les équipes. L'équipe qui a le plus de points à la fin du jeu (durée à déterminer à l'avance) remporte la victoire.

48

La patate brûlante

Aire de jeu: un endroit plat.

Matériel: 1 ballon.

Jeu et règles: les joueurs, assis par terre et serrés les uns contre les autres, forment un cercle. Un joueur, choisi au hasard, ouvre le jeu en lançant le ballon au milieu du cercle. À partir de ce moment, les joueurs doivent repousser la "patate brûlante" (le ballon) avec leurs mains. Aucune autre partie du corps ne doit entrer en contact avec le ballon. Quand cela se produit, le joueur fautif doit se retourner car il est "brûlé".

Le dernier joueur qui reste est le vainqueur.

Variantes: à plat ventre ou à quatre pattes.

49

La riposte

Aire de jeu: un endroit plat et dégagé.

Matériel: 1 ballon.

Jeu et règles: une équipe forme un cercle d'environ 10 mètres de diamètre, l'autre en occupe l'intérieur. Les premiers se passent plusieurs fois le ballon, puis, soudainement, le lancent contre les joueurs du centre, qui n'ont pas le droit d'attraper le ballon au vol.

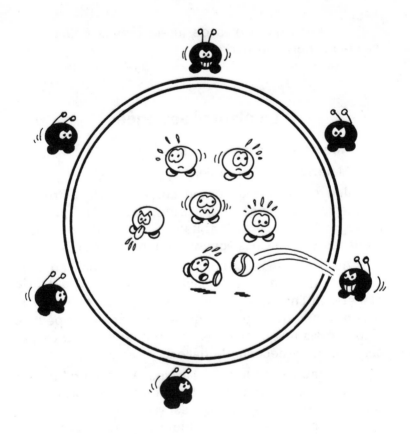

Si l'un des joueurs du centre est touché, il sort du jeu. Si aucun n'est touché, il s'agit alors pour eux de s'emparer du ballon dès qu'il a touché le sol et, de là, de le lancer contre un joueur de l'équipe formant le cercle. Le joueur visé doit tenter d'éviter d'être touché mais ne peut le faire qu'en sautant sur place ou en se déplaçant le corps de côté, *sans marcher*.

Si le joueur de l'équipe formant le cercle est touché, il sort du jeu. Sinon, comme l'a fait son adversaire, il saisit le ballon et le lance au centre, et le jeu continue.

Lorsqu'il n'y a plus de joueurs dans une équipe, celle-ci a perdu la partie.

50

La planète assiégée

Aire de jeu: un terrain plat.

Matériel: 1 ballon, craie.

Jeu et règles: un grand cercle de 10 mètres de diamètre est tracé à la craie: c'est la "planète assiégée" dont les "habitants" (une équipe) sont menacés par les "assiégeants" (autre équipe).

Au début de la partie, les assiégeants possèdent le ballon; ils doivent, en le lançant, toucher un habitant de la planète. Si l'habitant touché a le temps de ramasser le ballon avant que celui-ci quitte la planète, il peut le lancer, mais uniquement de l'endroit où il se trouve, sur celui qui lui a décoché le ballon.

Si l'habitant le touche, l'assiégeant "meurt" et sort du jeu. S'il le manque, c'est lui qui meurt et sort du jeu. Dans tous les cas, si celui qui est visé attrape le ballon, il ne meurt pas et le jeu continue.

L'équipe qui perd tous ses joueurs perd la partie.

51

Le double jeu

Aire de jeu: un terrain plat

Matériel: 2 ballons.

Jeu et règles: un rectangle de 20 m sur 10 m est tracé sur le sol et divisé en 2 carrés. Chaque équipe

occupe son côté et possède 1 ballon. Les joueurs de chaque équipe se font des passes jusqu'au moment où, soudainement, un joueur le lance sur un adversaire.

Si ce dernier attrape le ballon au vol, son équipe obtient 1 point. Si le joueur est touché et qu'il ne l'attrape pas, il doit sortir du jeu, donnant ainsi 1 point à l'équipe adverse. Tour à tour, les joueurs touchés qui n'attrapent pas le ballon sont sortis du jeu. On compte donc 1 point par joueur touché, point qui va au crédit de l'équipe ayant lancé le ballon.

La première équipe qui marque 15 points gagne la "ronde". La première équipe qui gagne 5 rondes obtient la victoire.

52

Hors jeu

Aire de jeu: un grand terrain plat.

Matériel: 1 ballon.

Jeu et règles: dans un grand rectangle divisé également en 2 camps, les joueurs des équipes A et B occupent l'un et l'autre des camps. On désigne un joueur de chaque camp pour se tenir "hors jeu", c'est-à-dire hors des limites du camp adverse.

Le but du jeu est d'éliminer des adversaires en leur lançant le ballon et en les touchant par un tir direct. À l'exception des 2 joueurs désignés, seuls les joueurs restés dans les camps peuvent en éliminer d'autres.

Si un joueur est touché, il rejoint son camarade hors jeu. Il ne peut, comme ce dernier, tirer sur ses adversaires, mais il peut renvoyer le ballon — le plus vite possible — à ses partenaires. Un lancer bloqué (attrapé au vol ou stoppé net) n'équivaut pas à un "touché" d'adversaire.

L'équipe qui met tous les joueurs adverses hors jeu gagne la partie. Au début de la partie, on tire au sort l'équipe qui aura, la première, possession du ballon. Pour les matchs suivants, au début du jeu, le ballon appartient à l'équipe qui vient de gagner le précédent.

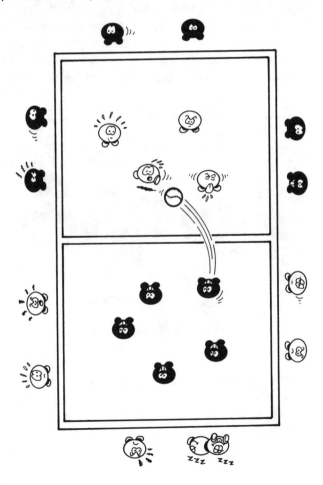

La main-raquette

Aire de jeu: une cour d'école (de préférence).

Matériel: 1 balle de tennis, 1 grand mur, craie.

Jeu et règles: sur 1 mur, à environ 2,5 m du sol, on trace une ligne à la craie. La longueur de la ligne dépendra du nombre et de la force des joueurs. 2 équipes sont formées et les joueurs, bien identifiés, s'éparpillent sur toute la surface du jeu, le long de la ligne. On tire au sort l'équipe qui aura la balle au début.

- MAIS OÙ EST PASSÉE LA BALLE ?
- MMMH!... HMMMM!...

Le joueur qui sert la balle doit la lancer contre le mur au-dessus du trait. Aussitôt, un joueur de l'équipe adverse se précipite pour la renvoyer, au vol ou après un seul bond, au-dessus de la ligne. Un joueur de l'équipe qui a servi s'empressera à son tour de la renvoyer de nouveau, et ainsi de suite jusqu'à ce qu'une équipe rate un lancer (balle non retournée, envoyée sous la ligne ou à côté). L'équipe adverse marque donc 1 point. L'équipe qui a perdu le point effectue alors le service. Notons que la balle ne peut être renvoyée contre le mur qu'avec la main ouverte, qui fait office de raquette. La première équipe qui marque 50 points gagne la partie.

54

La balle au puits

Aire de jeu: un grand terrain.

Matériel: 1 balle de tennis, craie, montre.

Jeu et règles: on divise les joueurs en deux équipes. Une fois bien identifiés, les joueurs s'éparpillent sur le terrain. L'arbitre, posté à l'extrémité opposée à celle du "puits" (cercle dessiné à la craie), lance la balle en l'air pour engager la partie. Le joueur qui s'en saisit se met aussitôt à courir vers le puits pour y jeter la balle et marquer 1 point. L'équipe adverse doit l'empêcher de marquer en le touchant. Aussitôt touché, le joueur laisse tomber la balle sur le sol et s'en éloigne d'au moins 3 mètres.

Lorsque le possesseur de la balle en sent la nécessité, il peut faire une passe à un coéquipier. Après chaque point marqué, on recommence toujours à partir du même endroit; ce n'est plus alors l'arbitre mais un joueur de l'équipe qui a marqué qui fait le service.

Au bout d'un temps limite (15 à 20 minutes), la partie est arrêtée. L'équipe qui a le plus de points gagne.

55

La course de chevaux à obstacles

Aire de jeu: jeu pratiqué en forêt sur un chemin ou dans une clairière comportant un parcours parsemé d'obstacles comme des troncs d'arbres couchés sur le sol, des fossés, de gros rochers, des montées, des descentes, etc. Le parcours doit, le plus possible, être circulaire afin que le lieu de départ soit aussi celui de l'arrivée.

– ALLEZ !... HUE !

Matériel: divers objets pour former des obstacles, une branche feuillue.

Jeu et règles: les joueurs sont groupés 3 par 3. L'un d'eux se tient debout alors qu'un autre se place derrière lui, en le tenant par la ceinture, la tête appuyée dans son dos et le dos courbé. Le 3e joueur, le cavalier, monte sur le dos du second.

Une fois prêts, tous les chevaux et leur cavalier se placent à la ligne de départ. Au signal, ils galopent le plus vite possible pour compléter le parcours le plus rapidement et ainsi recevoir la palme du vainqueur (une belle branche avec ses feuilles). En cours de route, les positions du cavalier et du cheval peuvent être changées.

56

La course des dragons

Aire de jeu: un chemin en forêt ou un pré sans obstacles comportant un parcours d'environ 800 mètres. Le point de départ est celui d'arrivée, car le parcours est en forme de boucle.

Matériel: aucun

Jeu et règles: on forme d'abord les "dragons" avec des groupes de 5 joueurs. Un premier se place devant et les autres, en colonne derrière lui, tiennent par la main la ceinture de celui qui est devant.

Tous les dragons se placent ensuite sur la ligne de départ et, au signal de l'arbitre, s'élancent. Le premier à franchir la ligne d'arrivée marque 10 points, le second 9, etc.

Si un dragon se "démembre" en chemin, il perd un point à chaque fois. Après une période suffisante de repos, la course est reprise.

57
La course des mille-pattes

Aire de jeu: un parcours en boucle d'environ 100 mètres et ne comportant aucun obstacle, sur un chemin en forêt, dans un pré ou une clairière.

Matériel: aucun.

Jeu et règles: on forme d'abord des "mille-pattes" de 5 joueurs: en file l'un derrière l'autre, les quatre premiers joueurs se couchent au sol en appui sur les mains. Le premier de la file met ses pieds sur les épaules du second, tout en restant en appui sur ses mains, le second fait de même pour le troisième et ainsi de suite jusqu'au cinquième qui, lui, reste à quatre pattes.

Tous les mille-pattes se placent sur la ligne de départ et, au signal de l'arbitre, s'élancent. Dès qu'un joueur est fatigué, il se met en dernière position et marche à quatre pattes. Celui qui occupait la dernière place le remplace.

Le premier mille-pattes à franchir la ligne d'arrivée gagne 10 points, le second 9 points, etc. Après un repos adéquat, la course reprend. À la fin, le mille-pattes ayant accumulé le plus grand nombre de points est déclaré vainqueur.

58

La balle au camp

Aire de jeu: un grand terrain plat.

Matériel: 1 balle.

Jeu et règles: 2 lignes parallèles de 30 à 50 mètres sont d'abord tracées à 200 mètres l'une de l'autre pour limiter deux camps de joueurs qui prennent position face à face à l'intérieur de leur camp respectif.

Le jeu consiste à essayer d'envoyer la balle au-delà de la ligne du camp adverse. L'engagement se fait après un tirage au sort qui détermine le camp qui lancera en premier. Le joueur qui effectue l'engagement se place à 50 mètres de sa ligne de camp et envoie le plus loin possible la balle avec la paume de sa main ouverte.

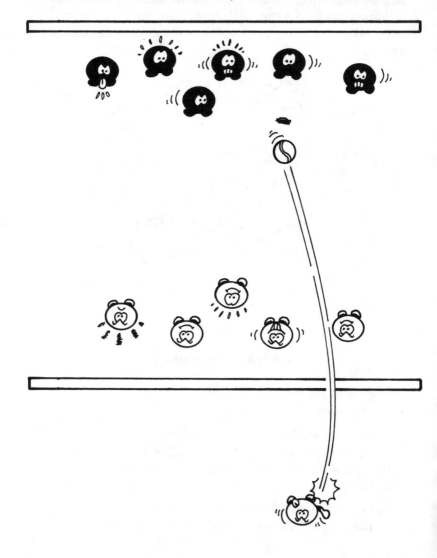

Le camp adverse doit arrêter la balle avec n'importe quelle partie du corps et la renvoyer avec la main ouverte, mais de l'endroit où elle a été arrêtée. Celui qui attrape la balle au vol avant qu'elle ne touche le sol a le droit de faire 3 pas en avant pour la lancer dans le camp adverse. Celui qui réussit à lancer la balle au-delà de la ligne adverse marque 1 point. Après un temps donné, le camp qui a le plus de points l'emporte.

59

Les diagonales

Aire de jeu: un terrain plat sans obstacle.

Matériel: 4 cordes à sauter et 4 foulards, craie.

Jeu et règles: sur le terrain, on trace à la craie les côtés et les diagonales d'un carré de 15 mètres de côté et on noue ensuite les quatre cordes ensemble à une extrémité seulement, de manière à former 4 bouts libres en croix. Chacun de ceux-ci est placé sur une des diagonales du carré, le noeud étant au croisement des diagonales (centre du carré). À 4 ou 5 mètres des bouts des cordes, on place un foulard sur le sol.

Les joueurs, divisés en 2 équipes, prennent place sur deux côtés du carré, se faisant face. Chacun d'eux est numéroté et chaque équipe possède une même série de numéros, si bien que, lorsque l'arbitre annonce 2 numéros, les 2 joueurs qui portent ces numéros se précipitent sur l'extrémité de la corde la plus proche, la saisissent et, sans la lâcher, essayent de ramasser les foulards derrière eux.

Lorsqu'un des joueurs parvient à prendre un foulard, il peut, tout en gardant son bout de corde dans les mains, se diriger vers son coéquipier pour lui prêter main forte et ainsi l'aider à ramasser le foulard.

S'il y a équilibre des forces, l'arbitre peut appeler 2 autres joueurs en renfort.

L'équipe qui ramasse un foulard marque 1 point. La première qui marque 20 points gagne. Quand une équipe a ramassé ses 2 foulards, le jeu s'arrête et on reprend avec 4 nouveaux joueurs. La position de départ peut être debout, assis, couché sur le dos, couché sur le ventre, etc.

60

Les jarres

Aire de jeu: un parcours circulaire d'environ 175 mètres dans un pré, une clairière ou sur un chemin en forêt.

Matériel: aucun.

— BEN, ON L'A ÉCHAPPÉ ET IL S'EST BRISÉ !

Jeu et règles: 3 joueurs forment une équipe. L'un, la "jarre", s'accroupit et se passe les mains sous les genoux en croisant les doigts, de façon que ses co-équipiers puissent le transporter en le tenant sous les bras. Toutes les équipes se rangent sur la ligne de départ et, au signal, s'élancent. En cours de route, elles n'ont pas le droit d'intervertir les rôles. Une équipe qui se démantèle doit reconstituer sa jarre avant de repartir.

L'équipe qui franchit la ligne d'arrivée la première gagne 10 points, la seconde 9 points, etc. Dans la seconde et la troisième course, on change les rôles. Il faut, entre chaque course, laisser un temps de repos pour permettre aux porteurs de reprendre leur souffle. L'équipe qui a le plus de points après trois courses gagne.

61

Le combat de coqs

Aire de jeu: une surface plane.

Matériel: aucun.

Jeu et règles: on trace un cercle de deux mètres de diamètre et, de part et d'autre, à 10 mètres de distance, deux lignes de base. On divise ensuite les joueurs en deux équipes, chacune se plaçant sur une ligne de base. On donne 1 numéro à chaque joueur en vérifiant que la série de numéros soit bien la même pour les deux équipes.

Pour lancer le jeu, l'arbitre annonce un numéro. Les deux joueurs adverses portant ce numéro se rendent dans le cercle à cloche-pied et s'y affrontent en se poussant avec les bras croisés.

Le joueur qui perd l'équilibre et met les deux pieds sur le sol ou qui sort du cercle fait gagner un point à l'équipe adverse. Si, au bout d'une minute, il n'y a pas de décision, l'arbitre appelle 2 autres numéros en renfort. Quand un joueur est expulsé du cercle, son coéquipier doit affronter seul les deux adversaires.

Lorsqu'une équipe atteint 20 points, elle gagne la partie. Une revanche est accordée à l'adversaire.

62

Saute plus loin

Aire de jeu: un terrain plutôt plat et sans obstacle.
Matériel: 4 crayons de craie.

Jeu et règles: on forme 4 équipes que l'on place en colonnes espacées de 3 mètres. Au signal, le premier de chaque colonne fait un bond, le plus loin possible, à pieds joints. On marque à la craie la position arrière de ses talons. Le second met ses talons sur la marque et exécute à son tour le bond le plus long possible et, ainsi de suite, jusqu'au point d'arrivée situé à quelque 150 mètres.

L'équipe qui atteint la ligne d'arrivée en ayant effectué le plus petit nombre de bonds remporte la victoire.

Variantes: bonds sur un pied; 3 bonds successifs par joueur, 2 bonds.

63

La course des lièvres

Aire de jeu: un terrain accidenté dans une clairière, un pré ou un chemin en forêt.

Matériel: aucun.

Jeu et règles: on détermine d'abord un parcours de 400 à 500 mètres, puis chaque joueur se place sur la ligne de départ. Au signal, tous détalent par des bonds en avant, effectués à quatre pattes, comme un lièvre... Il n'est pas permis, sous peine de disqualification, de courir, même à quatre pattes, ou de se lever.

Le premier qui franchit la ligne d'arrivée gagne 10 points, le second 9 points, etc. Entre deux courses, il convient de permettre aux lièvres de reprendre leur souffle.

64

Le trésor du pirate

Aire de jeu: une clairière de 20m sur 20m.

Matériel: 3 foulards, des carrés d'étoffe, 1 montre.

- ON A DIT DE NOMMER LE NOM, SEULEMENT !!!

Jeu et règles: un pirate, l'un des joueurs, dispose 3 foulards distants de 15 mètres et formant un triangle. C'est le "trésor du pirate". Les autres joueurs sont dispersés dans un rayon de 200 mètres. Au signal, ils s'efforcent discrètement de venir prendre le trésor du pirate, sans que celui-ci, qui doit rester sur place à l'intérieur du triangle, les aperçoive. Lorsque le pirate aperçoit un joueur, il le nomme en indiquant l'endroit où il se trouve. Si c'est exact, le joueur est éliminé. Des arbitres font les vérifications s'il y a lieu.

À chaque joueur repéré correctement, le pirate obtient 1 point. Ainsi, à la fin, après que chacun a joué le rôle du pirate, on détermine le meilleur pirate, celui qui a obtenu le plus de points durant sa période de garde de 10 ou 15 minutes.

Cette période pourra cependant être écourtée si un joueur réussit à enlever l'un des 3 foulards: cela fait, on passe au pirate suivant. Quant au joueur qui a réussi à enlever le foulard, il obtient 2 points.

Si les joueurs ne se connaissent pas bien, on leur donnera un carré d'étoffe de couleur qu'ils porteront sur la poitrine.

65
Les lièvres siffleurs

Aire de jeu: un terrain de jeu d'environ 500 m sur 500 m dans un bois.

Matériel: sifflets.

Jeu et règles: les joueurs sont répartis en deux équipes: les "lièvres" et les "chasseurs". Les premiers sont munis de sifflets et partent se cacher dans le bois à 500 mètres de la base de départ.

15 minutes plus tard, ils signalent le début du jeu et leur présence par des sifflements qu'ils répètent toutes les 30 secondes. Ils peuvent cependant se déplacer pour

tromper les chasseurs, qui ont pour objectif de les "tuer" en les touchant. Un lièvre mort retourne à la base de départ. Les chasseurs ont gagné si, dans un temps fixé au départ, ils ont pris plus de la moitié des lièvres.

66

Les messagers

Aire de jeu: une forêt agrémentée de sentiers.

Matériel: carrés de papier, foulards.

Jeu et règles: les joueurs sont divisés en deux équipes dont l'une a la tâche de transporter 3 messages à un point fixé à l'avance en passant par une frontière (chemin, sentier). L'autre équipe doit intercepter les 3 messagers, qui peuvent cependant cacher leur message dans une de leur chaussure ou sur leur corps, en haut de la ceinture.

- JE L'AI FOUILLÉ, IL N'A PAS
DE MESSAGE SUR LUI !

Le jeu consiste, pour les messagers, à attirer, par des moyens bien imaginés, l'attention des défenseurs sur ceux qui ne portent pas de message... Avant de fouiller un messager — un vrai ou un faux — , il faut d'abord lui retirer le foulard qu'il porte à la ceinture.

Les messagers ont gagné si au moins 2 messages sur 3 parviennent à destination. Attention! Un joueur ne peut porter qu'un seul message.

67

Le sabotage des poteaux

Aire de jeu: un chemin ou un sentier de 500 mètres de long traversant un bois où il y a des poteaux portant des câbles électriques ou téléphoniques.

Matériel: foulards.

Jeu et règles: on forme d'abord 2 équipes. Celle des "défenseurs" deux fois plus nombreuse que celle des "attaquants", circule en dehors de la route le long de la ligne des poteaux et envoie des joueurs en reconnaissance afin de découvrir les intentions des "attaquants". Ceux-ci, par contre, s'efforcent de "saboter" la ligne en attachant 3 foulards autour de chacun des poteaux. Ils doivent agir discrètement, car ils peuvent être neutralisés par simple toucher.

Les défenseurs marquent autant de points qu'ils ont neutralisé d'attaquants. Les attaquants, pour leur part, marquent 2 points par poteau saboté. L'équipe qui a le plus de points l'emporte. Au bout d'un certain temps, on inverse les rôles.

68

Les contrebandiers

Aire de jeu: une route ou un sentier en forêt pouvant représenter une frontière de 500 mètres, le long de laquelle s'opposent "douaniers" et "contrebandiers".

Matériel: sacs à dos, foulards, journaux, "marchandise".

Jeu et règles: les contrebandiers (un tiers des joueurs) portent tous un sac à dos, mais un seul contrebandier sur deux porte un sac avec de la marchandise, les autres ne transportant que du papier. Ils tentent de traverser la frontière, mais peuvent être capturés avant qu'ils y parviennent, jamais après.

Un douanier capture un contrebandier en le touchant, il ne peut en prendre qu'un à la fois et le conduit au poste de douane où sera effectuée la fouille du sac du contrebandier.

Si le sac contient de la marchandise, 3 points sont attribués aux douaniers. S'il ne contient que du papier, les douaniers obtiennent 1 point. Inversement, les contrebandiers qui ont réussi obtiennent respectivement 3 points par sac de marchandise et 1 point par sac de papier. Le total des points désigne le vainqueur.

L'attaque du dépôt de munitions

Aire de jeu: un terrain boisé et accidenté.

Matériel: cartons avec numéros, petits carrés de papier, crayons.

Jeu et règles: 2 équipes sont formées, les "maquisards" et les "militaires". Ces derniers ont la charge des dépôts de munitions situés à plusieurs endroits dans le bois. Chaque gardien de dépôt signale son emplacement à l'aide d'un cri ou d'un signal particuliers; quant aux autres militaires, ils font la navette entre les différents dépôts, de manière à transporter des munitions. Ils doivent cependant le faire sans être vus des maquisards, dont l'objectif est de se saisir des munitions.

Chaque joueur porte un numéro dans le dos. Chaque fois qu'un militaire arrive à un dépôt, il reçoit des munitions (petits carrés de papier). S'il est par la suite intercepté par un maquisard, il doit lui remettre ses munitions. L'interception se fait par identification du numéro à distance. Les militaires, qui doivent accumuler le plus de munitions en un temps donné, se défendent en essayant d'identifier les numéros des maquisards, qui sont alors neutralisés.

À la fin du temps fixé, on compte les points: 1 point est attribué par carré de papier de munitions récolté par les militaires; 2 points par carré de papier intercepté par les maquisards.

70

Les poseurs de bombes

Aire de jeu: n'importe quel type de terrain.

Matériel: bâtons, bâtonnets (30 centimètres), foulards, montre.

Jeu et règles: les joueurs forment deux équipes qui établissent leur camp respectif à au moins 250 mètres l'un de l'autre. Les camps sont délimités par des bâtons formant un cercle de 2 mètres de diamètre. Chaque équipe connaît l'emplacement du camp de l'adversaire. Le jeu consiste, en partant de son camp, à aller poser le plus grand nombre possible de bombes (bâtonnets piqués en terre) dans le camp adverse.

Un joueur neutralise un adversaire en s'emparant de son foulard. Chaque bombe posée donne 5 points. Tout foulard pris rapporte 1 point. Un joueur n'a droit qu'à une bombe. L'équipe qui, à la fin du temps prévu, a le plus de points, l'emporte.

71

Les porteurs d'eau

Aire de jeu: un terrain relativement accidenté d'environ 1 kilomètre de long.

Matériel: 2 seaux d'eau, 1 règle à mesurer, 2 bâtons de 1 mètre de long.

Jeu et règles: des équipes de deux joueurs sont formées. Chacune possède un seau rempli d'eau ainsi qu'un bâton qui, passé dans l'anse du seau, servira à transporter ce dernier. Au signal du départ, chaque équipe s'élancera vers le point d'arrivée en évitant de perdre de l'eau en cours de route.

À l'arrivée, des points seront attribués pour la vitesse en course et la quantité d'eau conservée dans la seau. Ainsi, on donnera 20 points à l'équipe qui arrivera premiere, 18 à la seconde, etc. On attribuera aussi 20 points à l'équipe dont le seau sera le plus plein, 18 à la seconde, etc. Le total des points déterminera l'équipe victorieuse.

72

Les dépisteurs

Aire de jeu: un terrain accidenté et des endroits élevés.

Matériel: panneaux de signalisation en carton, avec manche en bois.

Jeu et règles: on divise d'abord les joueurs en deux groupes égaux: "loups" et "trappeurs". Ces derniers désignent parmi eux quelques dépisteurs qui vont se placer en des points dominants (rochers, collines, arbres) d'où ils auront une bonne vue sur le déplacement des meutes de loups. Ils ont 15 à 20 minutes pour se poster, après quoi les loups se mettent en marche pour se dissimuler en un point de la zone surveillée par les dépisteurs, qu'ils s'efforcent de tromper.

15 minutes après le départ des loups, les trappeurs partent à leur recherche. Les dépisteurs ont le droit de les aider en leur faisant des signaux avec les panneaux mais ils ne peuvent leur parler.

Pour gagner, les trappeurs doivent, dans un laps de temps donné, capturer les loups en cernant leur cachette.

La mouche et l'araignée

Aire de jeu: une forêt.

Matériel: feuilles de papier, crayons, montre.

Jeu et règles: une équipe de "mouches" et une autre d'"araignées" sont formées. Les araignées partent se chercher une cachette dans un secteur d'environ 200 mètres de rayon. 5 minutes plus tard, les mouches se mettent en route pour les retrouver.

– MAIS, C'EST PAS PRÉVU DANS LE JEU, ÇA !!!
– AH NON ?... SLURP!

Les araignées inscrivent sur leur feuille de papier les noms de toutes les mouches qu'elles aperçoivent; les mouches en font autant pour les araignées. À la fin du temps réglementaire, on compte le nombre de mouches et d'araignées notées sur les feuilles de chacun: l'équipe qui a repéré le plus grand nombre d'adversaires gagne.

Attention: un membre d'une équipe ne peut indiquer aux siens l'endroit où se trouve un membre de l'autre équipe. Par contre, si 2 membres d'une équipe sont *ensemble* au moment où ils aperçoivent une mouche où une araignée, chacun l'inscrit sur sa propre feuille.

74

L'attaque du camp

Aire de jeu: une clairière plutôt clairsemée.

Matériel: cordes, crayons de craie, foulards.

Jeu et règles: les joueurs se divisent en ''défenseurs'' et ''attaquants''. Les défenseurs délimitent un camp de 5 à 10 mètres de diamètre à l'aide de cordes. Puis, en marquant très visiblement certains arbres avec des foulards ou de la craie, on forme un deuxième cercle autour du premier. Ce cercle de 30 à 40 mètres délimite la zone de défense à l'intérieur de laquelle les défenseurs doivent se tenir.

Les attaquants se retirent de la vue des défenseurs, car ils devront, sans être touchés par l'un deux, pénétrer dans le camp.

Au signal de l'arbitre, le jeu commence. Pour contrer les attaquants, les défenseurs envoient des ''espions'' observer leurs déplacements. Ils ne peuvent cependant les capturer: en dehors de la zone de défense, aucun attaquant ne peut être touché. Mais, à partir du moment où un attaquant entre dans la zone de défense, il est poursuivi par un défenseur. Si ce dernier touche l'attaquant, celui-ci devient prisonnier et est envoyé dans le camp des prisonniers situé à un endroit préalablement déterminé.

Un seul défenseur peut poursuivre un attaquant dans la zone de défense; si deux défenseurs ou plus enfreignent cette règle, on considère que l'attaquant a réussi à pénétrer dans le camp.

Chaque attaquant qui pénètre dans le camp marque 1 point pour son équipe. Par contre, chaque prisonnier donne 1 point aux défenseurs.

Si plus de la moitié des attaquants entrent dans le camp, ceux-ci gagnent la partie. Autrement la victoire appartient aux défenseurs.

75

Les prisonniers délivrés

Aire de jeu: une forêt très dense.

Matériel: cordes, feuilles de papier, crayons.

Jeu et règles: les joueurs se divisent en "attaquants" et "défenseurs". Ces derniers limitent un camp (cercle de 20 à 30 mètres de rayon) de telle sorte qu'on ne peut, de la périphérie, en voir le centre. Ils doivent se tenir *en dehors* de la limite du cercle, ne pouvant la franchir que pour y amener et y attacher un prisonnier à un arbre. Un arbitre se tient dans ce cercle pour noter le nom des prisonniers que les défenseurs y conduiront et de ceux qui seront libérés par les attaquants. Un défenseur attrape un attaquant en le touchant.

Les attaquants, au départ, ont 2 des leurs qui, attachés chacun à un arbre, sont prisonniers dans le camp. Ayant pour objectif de les libérer, les attaquants sont dispersés dans les environs où se trouve d'ailleurs "l'arbre des attaquants", à côté duquel se tient un arbitre. Celui-ci note les noms de tous les prisonniers libérés; cela fait, ceux-ci redeviennent attaquants.

Comme les défenseurs ne peuvent entrer dans le camp, tout attaquant qui y pénètre sans être pris peut en toute quiétude libérer un prisonnier. Sur le chemin du retour vers l'arbre des attaquants, ils devront cependant faire attention à ne pas se faire prendre par un défenseur qui pourra, s'il y réussit, les capturer. À la fin du temps prévu ou lorsqu'il n'y a plus de prisonniers à délivrer et que ceux qui l'ont été sont arrivés à leur arbre, les défenseurs obtiennent 3 points par prisonnier attaché, les attaquants 10 points par prisonnier délivré et amené à l'arbre, mais seulement 5 points si ce prisonnier est repris avant son arrivée à l'arbre des attaquants.

Les trois camps

Aire de jeu: une forêt assez dense.

Matériel: 3 fanions, foulards.

Jeu et règles: 3 équipes égales en nombre sont rassemblées dans une clairière. Chacune s'éloigne dans une direction différente en emportant 1 fanion. Lorsqu'une distance suffisante les sépare, c'est-à-dire quand une équipe ne peut en voir une autre, l'arbitre siffle: les équipes s'arrêtent alors, plantent le fanion et tracent un cercle de 2 mètres de rayon autour: c'est la zone neutre. Un membre d'une équipe *ne peut* pénétrer dans sa zone neutre mais il a le droit d'entrer dans celle des autres équipes pour s'emparer de leur fanion.

Tous les joueurs mettent ensuite un foulard à la ceinture, puis, au second signal de l'arbitre (3 coups de sifflet), le jeu débute, chaque équipe devant s'emparer, pour les déposer dans sa zone neutre, des fanions des autres équipes. Pour neutraliser un adversaire porteur d'un fanion, il faut lui enlever son foulard. Cela fait, le porteur du fanion doit aussitôt laisser tomber ce dernier qui devra être repris par un autre joueur.

S'il y a 2 fanions dans la zone neutre d'une équipe adverse, celui · qui y pénètre peut s'emparer des 2 fanions à la fois et tenter de les apporter dans sa zone neutre.

77
La course mal courue

Aire de jeu: un terrain plat sans arbres.

Matériel: cônes ou fanions pour délimiter le parcours, sacs.

Jeu et règles: on forme d'abord plusieurs équipes de 2 coureurs qui devront parcourir le plus rapidement possible un parcours de 500 mètres bien "particulier". En effet, sur ce tracé en forme de boucle, on aura préalablement disposé à quelques endroits des indications précises sur la façon de courir l'étape suivante.

Ainsi après les premiers 100 mètres, les équipes recevront l'indication de courir les 100 m suivants les jambes dans un sac déposé tout près. La troisième partie, elle, sera courue par des "brouettes" (un des coureurs a les mains au sol tandis que l'autre lui tient les jambes).

Enfin, les deux dernières sections ne seront courues que sur une jambe et à reculons, les coureurs se tenant par la main. Gagne l'équipe qui arrive en premier...

Le combat des chevaliers

Aire de jeu: un terrain plat sans arbres.

Matériel: boucliers (cartons, bois), balles de tennis, brassards d'identification selon l'équipe.

Jeu et règles: 2 équipes sont formées, chacune ayant un nombre égal de chevaliers armés de boucliers et d'hommes d'infanterie, sans boucliers. L'objectif des 2 camps est d'éliminer tous les chevaliers de l'adversaire.

Chaque chevalier possède 3 balles qui lui serviront à éliminer les chevaliers ennemis en les atteignant d'un lancer (un seul suffit). Un chevalier peut cependant se protéger au moyen de son bouclier qu'il aura fait avec du carton ou du bois. L'infanterie, pour sa part, a pour rôle de ramasser les balles et de ravitailler les chevaliers.

Un chevalier touché devient homme d'infanterie et doit aussitôt remettre son bouclier et ses balles à l'homme d'infanterie ennemi le plus proche, lequel devient aussitôt chevalier. Un camp gagne lorsque tous ses combattants sont devenus chevaliers.

79

Robin des Bois contre frère Tuck

Aire de jeu: un espace plat à l'extérieur ou à l'intérieur.

Matériel: 2 bâtons, 1 banc suédois ou 1 tronc d'arbre.

Jeu et règles: ce jeu se déroule sous la forme d'un tournoi individuel opposant un joueur Robin des Bois contre un autre, le frère Tuck, tous deux en équilibre sur un banc suédois retourné ou, en été, sur un tronc d'arbre au-dessus d'un petit ruisseau.

Face à face, les joueurs tentent de faire perdre l'équilibre à l'autre au moyen d'un bâton qu'ils tiennent par les 2 bouts. Le premier qui touche la terre de son pied perd et, tous les joueurs devant s'affronter les uns les autres, celui qui remporte le plus de victoires est déclaré champion.

80

La brouette tamponneuse

Aire de jeu: un terrain plat sans arbres. On y place 2 cônes ou 2 fanions pour la ligne de départ et, 20 mètres plus loin, 2 autres qui devront être contournés.

Matériel: 4 cônes ou 4 fanions.

Jeu et règles: groupés 2 par 2 et formant une "brouette", les joueurs ont pour objectif d'aller le plus rapidement possible contourner les cônes ou les fanions et de revenir au point de départ.

2 brouettes à la fois s'avancent à la ligne de départ. Au signal de l'arbitre, elles partent. La première

qui revient gagne. Durant la course cependant, une brouette a le droit de gêner l'autre en la "tamponnant" pour la faire trébucher et, ainsi, la distancer.

Pour déterminer la meilleure équipe et donner plus d'intérêt, on organisera des éliminatoires (huitièmes de finale, quarts de finale, etc.). La grande finale, quant à elle, pourra comprendre 2 courses, les joueurs changeant de rôle entre les deux. S'il y a une victoire de chaque côté, une troisième course déterminera l'équipe gagnante.

81

Le relais montagnes russes

Aire de jeu: un terrain avec de grosses bosses. On y trace un parcours en boucle de 300 à 500 mètres de long, agrémenté de fanions, de manière que le trajet ressemble à un parcours de moto-cross.

Matériel: bicyclettes, fanions.

– FFFIENS! FFF'EST TON
FFF'TOUR MAINTENANT!

Jeu et règles: on forme des équipes de 4 à 6 joueurs, qui s'opposeront dans une "course à relais sur bicyclette", chaque participant passant la bicyclette au coureur suivant après avoir effectué son tour de parcours, et ainsi de suite jusqu'au moment où tous ont couru.

L'équipe qui termine la première obtient 10 points, la seconde 9 points, etc.

82

Le gymkhana

Aire de jeu: un terrain plus ou moins plat (100 m sur 100 m). Au moyen de cônes, on trace un parcours en zigzag couvert çà et là de planches de bois exhaussées sur lesquelles on roule sans perdre l'équilibre. Le circuit doit être très compliqué de manière à obliger les cyclistes à faire preuve d'une grande maîtrise de leur véhicule.

Matériel: chronomètre, bicyclettes, cônes, planches de bois ou portes, poutres d'équilibre.

Jeu et règles: chaque joueur, à tour de rôle, parcourt le circuit en passant à travers toutes les embûches (portes, traquenards, poutres d'équilibre, etc.) pour rejoindre finalement son point de départ. Chaque fois que le cycliste met le pied à terre, il reçoit 1 point de pénalité. Comme un temps limite est donné pour effectuer le circuit, chaque bloc de 10 secondes de retard doit être marqué de 1 point de pénalité.

Le vainqueur est celui qui a le moins de points de pénalité. En cas d'égalité, gagne celui qui aura mis le moins de temps à accomplir le parcours.

83
Le cyclo-rallye

Aire de jeu: un parcours d'une dizaine de kilomètres sur une route où l'on peut rouler en toute sécurité et sur laquelle sont répartis quelques postes de contrôle ou quelques étapes.

Matériel: bicyclettes, fiches, crayons, chronomètre ou montre.

Jeu et règles: des équipes de 2 ou 3 cyclistes partent à des intervalles de 3 minutes avec, en main, les coordonnées de la première étape. Chaque équipe transporte avec elle une fiche sur laquelle un arbitre inscrit l'heure du départ.

À la première étape, l'arbitre du lieu remet à l'équipe une enveloppe contenant 1 énigme à résoudre pour obtenir les coordonnées de l'étape suivante. Cela réussi, l'équipe peut repartir mais pas avant que l'arbitre ait apposé sa signature sur la fiche. Ainsi, on pourra vérifier que le hasard n'a pas favorisé une équipe qui trouverait par hasard un poste de contrôle: la signature des arbitres devra donc apparaître dans l'ordre prévu pour que la fiche soit valable.

- JE PENSE QUE LES JEUNES ONT DE LA DIFFICULTÉ À RÉSOUDRE LES ÉNIGMES...

Au point d'arrivée, on note immédiatement l'heure pour pouvoir classer les équipes, la gagnante étant celle qui aura mis le moins de temps à effectuer le rallye.

84

Le lièvre à bicyclette

Aire de jeu: un ou plusieurs chemins de quelques kilomètres en forêt.

Matériel: bicyclettes, carrés de papier.

Jeu et règles: un "lièvre" part en avance et marque constamment sa piste en semant des petits carrés de papier. Il peut passer où il veut, marcher, porter sa bicyclette dans des endroits escarpés, etc.

Les "chasseurs", partant 10 minutes après le lièvre, doivent suivre la piste de papier pour le rattraper avant qu'il atteigne un endroit connu de lui seul.

85

Le relais à la cuillère

Aire de jeu: un terrain plat de 500 mètres de long. Un chemin assez large en forêt ou à la campagne peut aussi faire l'affaire. À chaque extrémité, on place 1 fanion.

Matériel: bicyclettes, cuillères à soupe, balles de tennis, fanions, "mitaines".

Jeu et règles: les joueurs sont répartis en 2 ou plusieurs équipes, chacune possédant 1 vélo, 1 cuillère, 1 mitaine et 1 balle, celle-ci devant être tenue dans la cuillère.

Pour cette course de vélo à relais, chaque joueur doit, la main dans la mitaine, transporter la balle dans la cuillère jusqu'à l'autre extrémité du terrain, contourner le fanion et revenir au point de départ, puis, là, passer le vélo, la cuillère, la mitaine et la balle (sans que celle-ci tombe) au joueur suivant qui prend le relais et continue la course. Et ainsi de suite jusqu'au moment où tous les joueurs ont terminé le parcours.

Si la balle tombe, le joueur doit descendre de bicyclette, la ramasser et remonter sur son vélo pour poursuivre la course. Attention: il n'est pas permis de courir en poussant sa bicyclette, que ce soit pour ramasser la balle ou pour se rapprocher du point d'arrivée.

L'équipe qui termine la première est victorieuse.

86

La course à la cuillère

Aire de jeu: un terrain assez plat (peu de bosses), ou un chemin de campagne de 1 à 2 kilomètres.

Matériel: bicyclettes, cuillères à soupe, balles de tennis, "mitaines".

Jeu et règles: les joueurs, munis d'une cuillère dans laquelle la balle doit être tenue, partent tous ensemble d'une base vers un point quelconque. Le premier qui y arrive gagne.

Si, en cours de route, la balle tombe, le joueur doit la remplacer dans la cuillère avant de repartir. Il ne perd pas de points mais est disqualifié.

87

Le vrai cyclo-cross

Aire de jeu: jeu très populaire en Europe durant la saison morte des courses cyclistes. Le cyclo-cross est pratiqué sur un parcours accidenté empruntant tantôt la route asphaltée, tantôt les champs, les chemins de campagne, les pentes abruptes, les descentes sinueuses, le tout étant, idéalement, parsemé d'obstacles.

Matériel: bicyclettes, fanions ou pancartes, chronomètre.

Jeu et règles: sur un parcours de 5 à 10 kilomètres bien parsemé de fanions, de pancartes ou des deux, des participants individuels ou des groupes s'opposent, le ou les meilleurs l'emportant en arrivant en premier au point d'arrivée.

Si les coureurs sont groupés en équipes, le temps de chacun s'ajoute à celui des autres, l'équipe gagnante étant celle ayant le meilleur temps.

88

Le cyclo-cross par étapes

Aire de jeu: un terrain accidenté, boisé parfois, où l'on peut circuler aisément sur certains tronçons, mais où l'on devra porter sa bicyclette sur d'autres.

Matériel: bicyclettes, outils, fanions ou pancartes.

Jeu et règles: le parcours, de 5 kilomètres par exemple, doit être balisé de pancartes ou de fanions très visibles. À chacune des 3 ou 4 étapes prévues, le cycliste s'arrêtera et subira une épreuve qu'il devra réussir avant de pouvoir reprendre la course.

- TOUT BIEN RÉFLÉCHI, ON DEVRAIT ENLEVER L'ÉPREUVE DE DÉMONTER ET REMONTER LA BICYCLETTE!

Ces épreuves auront pour objectif de vérifier l'habileté ou les connaissances des coureurs et de leur permettre de reprendre leur souffle. En voici quelques-unes auxquelles on pourra aisément en ajouter de nombreuses autres: démonter et remonter la roue arrière; nettoyer les deux roues; répondre à un questionnaire sur le code de la route; compter le nombre de pièces d'une bicyclette témoin; etc.

Cyclo-hockey

Aire de jeu: un terrain bien plat, en terre battue ou en asphalte. On y trace une surface de jeu rectangulaire de 25 m sur 50 m, que l'on divise en 2 carrés. Sur la ligne médiane, on trace un cercle de 1 mètre de diamètre servant à la mise au jeu au début de la partie et après chaque but. Dans chaque camp, sur la ligne de fond, on installe un but représenté par 2 fanions distants de 3 mètres.

Matériel: bicyclettes, bâtons de hockey, balle, buts (fanions ou cônes).

Jeu et règles: on divise d'abord les joueurs en 2 équipes égales en prenant soin de bien identifier chacune par une couleur vive. Chaque joueur a sa bicyclette et un bâton de hockey. Chaque équipe désigne un gardien de but; les autres joueurs de l'équipe se répartissent dans leur camp après avoir désigné 2 ou 3 "arrières" pour aider le gardien de but. Sauf le gardien de but, tous peuvent évoluer dans la zone adverse.

Lorsque l'arbitre a mis la balle au jeu, les joueurs, *sans descendre de bicyclette*, doivent la faire entrer dans le but adverse en la poussant ou en la frappant avec le bâton de hockey. Comme au hockey sur glace, les actions individuelles et les passes entre coéquipiers sont de mise. 1 point est compté lorsque la balle franchit la ligne entre les 2 fanions de but. Et l'équipe qui a perdu le point remet la balle au jeu au centre du terrain.

Avec le bâton, il est interdit de toucher la bicyclette d'un adversaire de façon à la freiner ou à lui faire perdre l'équilibre. L'infraction à cette règle entraîne l'expulsion automatique du joueur pris en faute. Il n'est pas permis de faire tomber ou de retenir délibérément l'adversaire.

Il est permis — cette règle vaut aussi pour le gardien de but — de poser un pied à terre, mais non de descendre de bicyclette pour toucher la balle. La balle est hors jeu lorsqu'elle sort des limites du terrain. Dans tous les cas, il y a remise au jeu par l'adversaire à partir de l'endroit où la balle est sortie des limites du terrain.

L'équipe qui a marqué le plus de buts pendant un temps déterminé (30 minutes environ) remporte la victoire.

90
Cyclo-ballon

Matériel: bicyclettes, ballon.

Ce jeu se joue de la même manière que le cyclo-hockey. Ne disposant pas d'un bâton cependant, les joueurs doivent — toujours sans descendre de bicyclette — manoeuvrer le ballon avec les pieds.

La conquête de l'Everest

Aire de jeu: une colline enneigée dont le flanc mesure environ 300 mètres de long, au sommet de laquelle sont plantés sur 1 ligne autant de fanions qu'il y a d'équipes.

Matériel: raquettes, fanions.

Jeu et règles: on forme d'abord des équipes de 2 joueurs dont l'un porte l'autre sur ses épaules: le joueur transporté n'a pas de raquettes aux pieds. Chaque équipe doit grimper au sommet de la colline pour y prendre 1 fanion et redescendre le planter sur la ligne de départ. On peut aussi faire l'inverse: prendre 1 fanion sur la ligne de départ et le planter au sommet de la colline.

Pendant la course, les changements de porteurs sont permis, mais c'est toujours le porteur qui doit avoir les raquettes aux pieds.

Les équipes sont classées par ordre d'arrivée: 10 points à la première, 9 à la seconde, etc.

On peut faire 3 à 5 courses en laissant un certain temps de repos entre chacune.

La forteresse de Sibérie

Aire de jeu: une forêt enneigée.

Matériel: skis ou raquettes, pelles à neige, fanions de couleurs différentes.

Jeu et règles: les skieurs se divisent en "attaquants" et "défenseurs", tous étant chaussés de skis de fond ou alpins, ou de raquettes. Les défenseurs, deux fois moins nombreux que les attaquants, sont munis de pelles à neige et se rendent à un point fixé à l'avance et connu d'eux seuls, à environ 1 kilomètre de la base de départ. Ils y construisent sommairement une forteresse en neige qu'ils identifient par 1 fanion rouge et, à une certaine distance, plusieurs petits fortins de neige qu'ils identifient cette fois par des fanions bleus.

Les attaquants partent une demi-heure après les défenseurs en suivant leurs traces dans la neige; ils ignorent où se trouvent la "forteresse de Sibérie" et le fanion rouge dont ils devront s'emparer. Le combat qui s'engage une fois la forteresse découverte se fait à l'aide de boules de neige. Celui qui est touché au corps est mis hors de combat. Pour se protéger, tout objet pouvant servir de bouclier est autorisé.

Un fanion bleu remporté par un attaquant rend le fortin inopérant et inutilisable. Tous ses défenseurs sont automatiquement mis hors jeu.

Le jeu se termine lorsque le fanion rouge est enlevé et emporté à plus de 20 mètres de la forteresse ou lorsqu'une équipe n'a plus de joueurs; ou encore, au signal de l'arbitre si ce dernier juge que le jeu s'éternise.

93
La chasse aux ours polaires

Aire de jeu: une forêt enneigée.

Matériel: skis ou raquettes.

Jeu et règles: l'équipe des "chasseurs" doit capturer les joueurs de l'équipe des "ours polaires". Ces derniers partent d'abord — chaque ours devant emprunter un chemin différent — vers leur refuge connu d'eux seuls et éloigné d'environ 3 kilomètres.

5 minutes plus tard, les chasseurs partent à leur tour pour les rattraper et les capturer (en les touchant)

avant qu'ils soient en sécurité. Pour se guider, ils doivent suivre les traces laissées par les ours qui, cependant, ont le droit de brouiller les pistes.

Si 2 ours sur 3 arrivent à destination, ils gagnent; sinon, ce sont les chasseurs qui l'emportent.

94

La course du grand nord

Aire de jeu: un terrain varié et enneigé comportant un circuit d'environ 1 kilomètre, jalonné de fanions.

Matériel: raquettes, "traînes sauvages", fanions.

Jeu et règles: cette course oppose des équipes de 3 joueurs, dont l'un, sans raquettes aux pieds, est assis sur la traîne sauvage, tandis que les deux autres la tirent. Celui qui est assis doit rester dans cette position: il n'a pas le droit de mettre un pied à terre; s'il le fait, l'équipe est éliminée. Cependant, si l'un ou l'autre des coéquipiers est fatigué, l'attelage s'arrête et celui qui est assis chausse les raquettes du coureur fatigué.

Toutes les équipes prennent le départ en même temps. Le classement se fait selon l'ordre d'arrivée. Ainsi la première arrivée obtient 10 points, la seconde 9, etc. Plusieurs arbitres doivent être répartis le long du parcours.

95

Course à relais sur glace

Aire de jeu: une surface glacée d'environ 20 m sur 30 m.

Matériel: patins à glace, 4 fanions ou cônes.

Jeu et règles: on place d'abord un fanion dans chacun des 4 coins de la patinoire en ayant soin de laisser suffisamment d'espace pour permettre aux joueurs de passer entre le fanion et la clôture de la patinoire s'il y en a une. 4 équipes sont formées; chacune prend place à côté d'un fanion et détermine l'ordre dans lequel les joueurs vont courir.

Au signal de l'arbitre, le premier de chaque équipe s'élance, contourne les 3 autres fanions et revient donner une tape dans le dos de son coéquipier qui doit le relayer, et ainsi de suite, jusqu'au moment où tous ont effectué leur tour de patinoire.

Un joueur peut en dépasser un autre mais ne peut le gêner sous peine de disqualification.

On peut facilement introduire d'autres façons de pratiquer cette course à relais: patinage avant, arrière ou les deux, couples de patineurs devant se tenir par la main ou se faire face, etc.

96
Ballon sur neige

Aire de jeu: une surface rectangulaire enneigée. Aux deux extrémités du rectangle de jeu, il y a, marquant la ligne des buts, 2 fanions distants de 20 à 25 mètres. On trace une ligne médiane afin de diviser le rectangle en deux carrés.

Matériel: un ballon de football, fanions.

Jeu et règles: le but de ce jeu est d'aller porter le ballon derrière la ligne de but adverse grâce à des efforts individuels et collectifs (passes). 2 équipes sont donc formées et prennent place de part et d'autre de la ligne médiane où la mise au jeu sera faite par un arbitre.

Au cours du jeu, on peut faire chuter le porteur de ballon en le plaquant. Si celui-ci tombe par terre avant qu'il réussisse à se débarrasser volontairement du ballon (en faisant une passe), le jeu s'arrête et le ballon revient à l'équipe adverse.

Si une mêlée survient après que le ballon est libre, le jeu est momentanément arrêté et le joueur dans la mêlée en possession du ballon a le droit de faire une passe, tandis que les joueurs adverses se tiennent à au moins 5 mètres de lui. Lorsqu'un joueur en possession du ballon sort des limites, le jeu s'arrête temporairement et le ballon va à l'adversaire.

L'équipe qui marque le plus de buts dans un temps donné gagne la partie.

97

L'abominable homme des neiges

Aire de jeu: une forêt enneigée.

Matériel: skis et raquettes.

Jeu et règles: un joueur est choisi pour tenir le rôle de l'abominable homme des neiges. Il a des raquettes aux pieds. Il part 10 minutes avant ses camarades se cacher dans la forêt. Ses "poursuivants", qui ont des skis, doivent le repérer en suivant les traces dans la neige mais sans se faire voir car, si "le monstre" reconnaît un de ses poursuivants, il peut le nommer et ce dernier est mis hors jeu. Des arbitres, qui s'avancent avec les poursuivants, contrôlent la bonne marche du jeu.

Le monstre a le droit de se déplacer. Cependant, s'il est cerné par 2 skieurs au moins et qu'il est touché par l'un d'eux avec une boule de neige, il est capturé et le jeu s'arrête. Par contre, s'il arrive à tenir tête à ses poursuivants durant 30 minutes, il est vainqueur. Dans les deux cas, on peut évidemment nommer un nouvel abominable homme des neiges et entreprendre une nouvelle battue pour le retrouver...

98

Les petits monstres des neiges

Aire de jeu: un champ enneigé d'environ 200 m sur 100 m ou, de préférence, le flanc d'une colline.

Matériel: raquettes, fanion.

Jeu et règles: on forme d'abord 2 équipes, les "explorateurs" et les "petits monstres". Bien visiblement, un fanion est ensuite planté sur le flanc de la colline, à environ 200 mètres de la ligne de base.

Les explorateurs, qui sont chaussés de raquettes, doivent aller chercher le fanion et le ramener à la base. Mais les petits monstres, sans raquettes, doivent les empêcher de rentrer à leur base avec le fanion: aussi tentent-ils de toucher le porteur avec une boule de neige.

Pour se défendre, le porteur du fanion ne peut qu'éviter les boules de neige ou, s'il est sur le point d'être touché, il passe le fanion à un coéquipier. S'il est touché tandis qu'il porte le fanion, il doit le planter dans la neige et n'a plus le droit de s'en emparer avant qu'un autre joueur — un explorateur ou un petit monstre — le reprenne.

Si c'est un explorateur qui s'en empare, le jeu se poursuit en direction de la base. Mais si c'est un petit monstre, celui-ci doit le ramener à son point d'origine en le portant lui-même ou en le passant à un coéquipier. Pour immobiliser un petit monstre porteur du fanion, un explorateur doit l'attraper en le ceinturant. Ainsi pris, le porteur doit planter sur place le fanion, et ainsi de suite jusqu'à la fin.

Lorsque le fanion est ramené à la base, les explorateurs sont alors vainqueurs et gagnent 10 points; lorsque le fanion est ramené à son point d'origine, les petits monstres obtiennent 20 points. À la fin de chaque partie, on inverse les rôles.

99
La course en traîneau avec obstacles

Aire de jeu: une forêt enneigée.

Matériel: luge, matériel divers.

Jeu et règles: on détermine d'abord un parcours de 1 à 3 kilomètres sur des chemins et des sentiers comportant des accidents de terrain (montées et descentes) et des obstacles comme des troncs d'arbres couchés, de petits ruisseaux gelés, etc. Le parcours ayant la forme d'une boucle, le départ et l'arrivée se font au même endroit.

On forme ensuite des équipes de 3 à 5 joueurs, puis on attache une charge égale sur la luge de chaque équipe. Au signal du départ de la course, les équipages s'élancent, tirant ou, au besoin, portant la luge. Le classement se fait par ordre d'arrivée.

- JE CROIS QUE LA LUGE EST
UN PEU TROP CHARGÉE...

100

Slalom et relais sur luge

Aire de jeu: une pente enneigée d'environ 100 mètres de long sur laquelle sont tracés au moyen de fanions 4 ou 5 parcours identiques de slalom.

Matériel: luges, fanions.

Jeu et règles: il y a autant d'équipes que de parcours. Le premier joueur de chaque équipe se place sur la luge, les autres restant en arrière de la ligne de départ. Au signal, les joueurs se laissent descendre en guidant leur luge avec les pieds et de manière à contourner les fanions sans les renverser. Une fois le dernier fanion contourné, le lugeur doit remonter sa luge en la tirant, puis la passer à un coéquipier qui reprendra la course. Et ainsi de suite jusqu'au moment où tous les participants ont effectué leur slalom et remonté en haut de la pente.

La première équipe qui termine le parcours gagne 5 points, la seconde, 4, etc. Lorsqu'un fanion est renversé, le joueur doit s'arrêter et le replanter. Lorsqu'un joueur ne contourne pas un fanion de la façon prévue, il doit revenir en arrière et effectuer correctement le passage.

Tableau synoptique

LES JEUX	Effets sur la condition physique							Difficulté d'organisation			Âges approximatifs
	réaction	agilité	adresse	force	endurance	résistance	vitesse	difficile	moyen	facile	
1. La chasse aux canards	x				x	x	x	x			8-10
2. Le ballon passe-passe	x				x	x	x	x			12-15
3. L'incroyable Hulk	x	x	x			x	x		x		8-12
4. La comète	x	x			x	x	x		x		10-15
5. Le marathon à cheval	x	x	x	x		x			x		10-15
6. Le millionnaire	x		x						x		12-15
7. La bataille des chevaliers	x	x	x	x	x	x	x	x			8-15

LES JEUX

	Effets sur la condition physique							Difficulté d'organisation			Âges approximatifs
	réaction	agilité	adresse	force	endurance	résistance	vitesse	difficile	moyen	facile	
8. La chasse gardée du baron de Gros-Pieds	x	x	x			x	x		x		10-15
9. Les 5 dragons sacrés	x	x	x	x		x	x		x		10-15
10. Sauve-blessés	x	x	x	x	x	x			x		10-14
11. La guerre des drapeaux	x	x	x			x	x	x			10-14
12. La balle brûlée	x	x	x		x	x	x			x	10-15
13. Cherche-au-dos	x	x	x			x	x	x			10-15
14. Les kamikazes	x					x	x	x			12-15
15. Ballon-prisonniers sur 3 côtés	x	x		x	x	x	x		x		8-15
16. Le ballon conquistador	x	x		x	x	x	x	x			10-15
17. Le bombardement	x			x	x	x	x	x			8-15
18. La course aux numéros	x				x	x	x	x			8-10
19. Gendarmes et voleurs	x	x	x			x	x	x			8-10
20. L'arbre sauve-qui-peut	x	x		x	x	x	x	x			8-12
21. Poursuite à relais	x	x	x		x				x		10-15
22. Drapeau à 2 cavaliers	x	x	x		x	x	x			x	8-15
23. 2 drapeaux avec cavaliers	x	x	x		x	x	x		x		8-15

LES JEUX

	Effets sur la condition physique							Diffi-culté d'orga-nisa-tion			Âges approxi-matifs
	réaction	agilité	adresse	force	endurance	résistance	vitesse	difficile	moyen	facile	
24. 2 drapeaux avec refuges	x	x	x		x	x	x		x		8-15
25. La pêche miraculeuse	x	x				x	x	x			7-8
26. Fort Apache	x	x	x			x	x		x		10-15
27. La curieuse soucoupe volante	x	x	x			x	x		x		10-12
28. Les poissons volants	x	x		x	x				x		8-10
29. Roule la boule	x			x	x				x		8-12
30. Passe-partout	x	x				x	x			x	10-15
31. Le message des extra-terrestres	x	x	x			x	x			x	10-15
32. La boule au pot		x		x	x			x			8-15
33. Le noir et le blanc	x	x				x	x	x			8-10
34. La chasse à la baleine	x	x	x	x	x	x	x		x		8-12
35. Ben-Hur	x	x	x	x	x	x	x			x	12-15
36. L'attelage esquimau	x	x	x	x	x	x	x		x		é0-15
37. Ballon contre quilles		x	x			x	x		x		8-15
38. Le gros méchant loup	x					x	x	x			7-9
39. Le rayon laser	x		x			x	x	x			7-10

LES JEUX	Effets sur la condition physique							Diffi-culté d'orga-nisa-tion			Âges approxi-matifs
	réaction	agilité	adresse	force	endurance	résistance	vitesse	difficile	moyen	facile	
40. Les 3 quilles		X		X		X		X			8-12
41. La balle volée	x				x	x	x	x			8-15
42. L'aigle et le vautour	x				x	x	x	x			8-10
43. Les brigands	x	x			x	x	x	x			7-9
44. Halte-là!	x		x		x	x	x	x			812
45. Ballon, cavalier et cheval	x	x	x	x	x	x	x			x	8-15
46. Les centaures	x	x	x	x	x	x	x		x		8-15
47. Les ricochets	x				x	x	x		x		8-15
48. La patate brûlante					x	x	x	x			8-10
49. La riposte					x	x	x	x			8-12
50. La planète assiégée	x				x	x	x	x			8-12
51. Le double jeu	x	x	x		x	x	x		x		8-15
52. Hors jeu	x	x	x		x	x	x		x		10-15
53. La main-raquette	x	x	x	x	x	x	x		x		12-15
54. La balle au puits	x	x	x		x	x	x			x	10-15
55. La course de chevaux à obstacles	x	x	x	x	x	x	x		x		10-15

LES JEUX

	Effets sur la condition physique							Difficulté d'organisation			Âges approximatifs
	réaction	agilité	adresse	force	endurance	résistance	vitesse	difficile	moyen	facile	
56. La course des dragons	x	x	x	x	x	x	x		x		8-15
57. La course des mille-pattes	x	x	x	x	x	x	x		x		10-15
58. La balle au camp	x	x			x	x	x		x		10-15
59. Les diagonales	x	x	x	x		x	x		x		8-15
60. Les jarres	x	x	x	x		x	x		x		10-15
61. Le combat de coqs		x		x		x	x	x			8-15
62. Saute plus loin	x	x		x		x		x			8-15
63. La course des lièvres	x	x	x	x		x		x			8-15
64. Le trésor du pirate	x				x	x	x	x			8-15
65. Les lièvres siffleurs	x				x	x	x	x			8-15
66. Les messagers	x		x		x	x	x		x		10-15
67. Le sabotage des poteaux	x	x	x		x	x	x		x		10-15
68. Les contrebandiers	x	x	x		x	x	x		x		10-15
69. L'attaque du dépôt de munitions	x	x	x		x	x	x		x		10-15
70. Les poseurs de bombes	x	x	x		x	x	x				10-15
71. Les porteurs d'eau	x	x	x	x	x	x		x			10-15

LES JEUX

LES JEUX	Effets sur la condition physique							Difficulté d'organisation			Âges approximatifs
	réaction	agilité	adresse	force	endurance	résistance	vitesse	difficile	moyen	facile	
72. Les dépisteurs	x	x							x		8-12
73. La mouche et l'araignée		x				x			x		8-10
74. L'attaque du camp	x	x	x		x	x	x			x	8-12
75. Les prisonniers délivrés	x	x	x		x	x	x	x			8-12
76. Les 3 camps	x	x	x		x	x	x	x			8-12
77. La course mal courue	x	x	x	x		x			x		8-15
78. Le combat des chevaliers	x	x			x	x	x			x	10-15
79. Robin des Bois contre frère Tuck		x		x	x	x			x		10-15
80. La brouette tamponneuse	x	x	x	x	x	x	x	x			10-15
81. Le relais montagnes ruses	x	x			x	x	x			x	10-15
82. Le gymkhana	x		x		x	x	x			x	9-15
83. Le cyclo-rallye	x		x		x	x				x	10-15
84. Le lièvre à bicyclette	x	x	x	x	x	x				x	10-15
85. Le relais à la cuillère	x		x		x	x	x	x			8-15
86. La course à la cuillère	x		x		x	x	x	x			8-15
87. Le vrai cyclo-cross	x	x	x	x	x	x				x	12-15

	Effets sur la condition physique							Difficulté d'organisation			Âges approximatifs
	réaction	agilité	adresse	force	endurance	résistance	vitesse	difficile	moyen	facile	
88. Le cyclo-cross par étapes	x	x	x	x	x	x			x		12-15
89. Cyclo-hockey	x	x	x	x	x	x	x			x	12-15
90. Cyclo-ballon	x	x	x	x	x	x	x			x	12-15
91. La conquête de l'Everest	x	x	x	x		x			x		10-15
92. La forteresse de Sibérie	x	x	x		x	x	x		x		10-15
93. La chasse aux ours polaires	x		x		x	x	x	x			8-12
94. La course du Grand Nord	x	x	x	x	x	x			x		10-15
95. Course à relais sur glace	x	x	x						x		8-15
96. Ballon sur neige	x	x			x	x	x			x	10-15
97. L'abominable homme des neiges	x		x		x	x	x	x			8-12
98. Les petits monstres des neiges	x	x	x	x	x	x	x		x		10-15
99. La course en traîneau avec obstacles	x	x	x	x	x	x			x		10-15
100. Slalom et relais sur luge	x	x		x	x	x			x		8-15

Index alphabétique

Table des matières

Lithographié au Canada
sur les presses de
Métropole Litho Inc.

DOCUMENTS — BIOGRAPHIES

Provencher, le dernier des coureurs de bois, Paul Provencher
Réal Caouette, Marcel Huguet
Révolte contre le monde moderne, Julius Evola
Struma, Le, Michel Solomon
Temps des fêtes au Québec, Le, Raymond Montpetit
Terrorisme québécois, Le, Dr Gustave Morf

* Treizième chandelle, La, T. Lobsang Rampa
Troisième voie, La, Me Emile Colas
Trois vies de Pearson, Les, J.-M. Poliquin, J.R. Beal
Trudeau, le paradoxe, Anthony Westell
Vizzini, Sal Vizzini
Vrai visage de Duplessis, Le, Pierre Laporte

ENCYCLOPÉDIES

Encyclopédie de la chasse au Québec, Bernard Leiffet
Encyclopédie de la maison québécoise, M. Lessard, H. Marquis
* Encyclopédie de la santé de l'enfant, L', Richard I. Feinbloom
Encyclopédie des antiquités du Québec, M. Lessard, H. Marquis

Encyclopédie des oiseaux du Québec, W. Earl Godfrey
Encyclopédie du jardinier horticulteur, W.H. Perron
Encyclopédie du Québec, vol. I, Louis Landry
Encyclopédie du Québec, vol. II, Louis Landry

ENFANCE ET MATERNITÉ

* Aider son enfant en maternelle et en 1ère année, Louise Pedneault-Pontbriand
* Aider votre enfant à lire et à écrire, Louise Doyon-Richard
Avoir un enfant après 35 ans, Isabelle Robert
* Comment avoir des enfants heureux, Jacob Azerrad
Comment amuser nos enfants, Louis Stanké
* Comment nourrir son enfant, Louise Lambert-Lagacé
* Découvrez votre enfant par ses jeux, Didier Calvet
Des enfants découvrent l'agriculture, Didier Calvet
* Développement psychomoteur du bébé, Le, Didier Calvet
* Douze premiers mois de mon enfant, Les, Frank Caplan
Droits des futurs parents, Les, Valmai Howe Elkins
* En attendant notre enfant, Yvette Pratte-Marchessault
Enfant unique, L', Ellen Peck
* Éveillez votre enfant par des contes, Didier Calvet

* Exercices et jeux pour enfants, Trude Sekely
Femme enceinte, La, Dr Robert A. Bradley
Futur père, Yvette Pratte-Marchessault
* Jouons avec les lettres, Louise Doyon-Richard
* Langage de votre enfant, Le, Claude Langevin
Maman et son nouveau-né, La, Trude Sekely
Merveilleuse histoire de la naissance, Dr Lionel Gendron
Pour bébé, le sein ou le biberon, Yvette Pratte-Marchessault
Pour vous future maman, Trude Sekely
* Préparez votre enfant à l'école, Louise Doyon-Richard
* Psychologie de l'enfant, La, Françoise Cholette-Pérusse
* Tout se joue avant la maternelle, Isuba Mansuka
* Trois premières années de mon enfant, Les, Dr Burton L. White
* Une naissance apprivoisée, Edith Fournier, Michel Moreau

LANGUE

Améliorez votre français, Jacques Laurin

* Anglais par la méthode choc, L', Jean-Louis Morgan

Corrigeons nos anglicismes, Jacques Laurin

* **J'apprends l'anglais,** G. Silicani et J. Grisé-Allard

Notre français et ses pièges, Jacques Laurin

Petit dictionnaire du joual au français, Augustin Turennes

Verbes, Les, Jacques Laurin

LITTÉRATURE

Adieu Québec, André Bruneau

Allocutaire, L', Gilbert Langlois

Arrivants, Les, collaboration

Berger, Les, Marcel Cabay-Marin

Bigaouette, Raymond Lévesque

Carnivores, Les, François Moreau

Carré St-Louis, Jean-Jules Richard

Centre-ville, Jean-Jules Richard

Chez les termites, Madeleine Ouellette-Michalska

Commettants de Caridad, Les, Yves Thériault

Danka, Marcel Godin

Débarque, La, Raymond Plante

Domaine Cassaubon, Le, Gilbert Langlois

Doux mal, Le, Andrée Maillet

D'un mur à l'autre, Paul-André Bibeau

Emprise, L', Gaétan Brulotte

Engrenage, L', Claudine Numainville

En hommage aux araignées, Esther Rochon

Faites de beaux rêves, Jacques Poulin

Fuite immobile, La, Gilles Archambault

J'parle tout seul quand Jean Narrache, Émile Coderre

Jeu des saisons, Le, Madeleine Ouellette-Michalska

Marche des grands cocus, La, Roger Fournier

Monde aime mieux..., Le, Clémence Desrochers

Mourir en automne, Claude DeCotret

N'Tsuk, Yves Thériault

Neuf jours de haine, Jean-Jules Richard

New medea, Monique Bosco

Outaragasipi, L', Claude Jasmin

Petite fleur du Vietnam, La, Clément Gaumont

Pièges, Jean-Jules Richard

Porte silence, Paul-André Bibeau

Requiem pour un père, François Moreau

Si tu savais..., Georges Dor

Tête blanche, Marie-Claire Blais

Trou, Le, Sylvain Chapdeleine

Visages de l'enfance, Les, Dominique Blondeau

LIVRES PRATIQUES — LOISIRS

Améliorons notre bridge, Charles A. Durand

* **Art du dressage de défense et d'attaque, L',** Gilles Chartier

* **Art du pliage du papier, L',** Robert Harbin

* **Baladi, Le,** Micheline d'Astous

* **Ballet-jazz, Le,** Allen Dow et Mike Michaelson

* **Belles danses, Les,** Allen Dow et Mike Michaelson

Bien nourrir son chat, Christian d'Orangeville

Bien nourrir son chien, Christian d'Orangeville

Bonnes idées de maman Lapointe, Les, Lucette Lapointe

* **Bridge, Le,** Vivianne Beaulieu

Budget, Le, en collaboration

Choix de carrières, T. I, Guy Milot

Choix de carrières, T. II, Guy Milot

Choix de carrières, T. III, Guy Milot

Collectionner les timbres, Yves Taschereau

Comment acheter et vendre sa maison, Lucile Brisebois

Comment rédiger son curriculum vitae, Julie Brazeau

Comment tirer le maximum d'une mini-calculatrice, Henry Mullish

Conseils aux inventeurs, Raymond-A. Robic

Construire sa maison en bois rustique, D. Mann et R. Skinulis

Crochet jacquard, Le, Brigitte Thérien

Cuir, Le, L. St-Hilaire, W. Vogt

* **Découvrir son ordinateur personnel,** François Faguy

Dentelle, La, Andrée-Anne de Sève

Dentelle II, La, Andrée-Anne de Sève

Dictionnaire des affaires, Le, Wilfrid Lebel

PHOTOGRAPHIE

PLANTES ET JARDINAGE

PSYCHOLOGIE

* **Se connaître soi-même,** Gérard Artaud
* **Se contrôler par le biofeedback,** Paul-tre Ligondé
* **Se créer par la gestalt,** Joseph Zinker
  Se guérir de la sottise, Lucien Auger
  S'entraider, Jacques Limoges
  Séparation du couple, La, Dr Robert S. Weiss
* **Trouver la paix en soi et avec les autres,** Dr Theodor Rubin

* **Vaincre ses peurs,** Lucien Auger
* **Vivre avec sa tête ou avec son coeur,** Lucien Auger
  Volonté, l'attention, la mémoire, La, Robert Tocquet
  Votre personnalité, caractère..., Yves Benoit Morin
* **Vouloir c'est pouvoir,** Raymond Hull
  Yoga, corps et pensée, Bruno Leclercq
  Yoga des sphères, Le, Bruno Leclercq

SEXOLOGIE

* **Avortement et contraception,** Dr Henry Morgentaler
* **Bien vivre sa ménopause,** Dr Lionel Gendron
* **Comment séduire les femmes,** E. Weber, M. Cochran
* **Comment séduire les hommes,** Nicole Ariana
  Fais voir! W. McBride et Dr H.F.-Hardt
* **Femme enceinte et la sexualité, La,** Elizabeth Bing, Libby Colman
  Femme et le sexe, La, Dr Lionel Gendron
* **Guide gynécologique de la femme moderne, Le,** Dr Sheldon H. Sherry
  Helga, Eric F. Bender

  Homme et l'art érotique, L', Dr Lionel Gendron
  Maladies transmises sexuellement, Les, Dr Lionel Gendron
  Qu'est-ce qu'un homme? Dr Lionel Gendron
  Quel est votre quotient psycho-sexuel? Dr Lionel Gendron
* **Sexe au féminin, Le,** Carmen Kerr
  Sexualité, La, Dr Lionel Gendron
* **Sexualité du jeune adolescent, La,** Dr Lionel Gendron
  Sexualité dynamique, La, Dr Paul Lefort
* **Ta première expérience sexuelle,** Dr Lionel Gendron et A.-M. Ratelle
* **Yoga sexe,** S. Piuze et Dr L. Gendron

SPORTS

  ABC du hockey, L', Howie Meeker
* **Aïkido — au-delà de l'agressivité,** M. N.D. Villadorata et P. Grisard
  Apprenez à patiner, Gaston Marcotte
* **Armes de chasse, Les,** Charles Petit-Martinon
* **Badminton, Le,** Jean Corbeil
  Ballon sur glace, Le, Jean Corbeil
  Bicyclette, La, Jean Corbeil
* **Canoé-kayak, Le,** Wolf Ruck
* **Carte et boussole,** Björn Kjellström
  100 trucs de billard, Pierre Morin
  Chasse et gibier du Québec, Greg Guardo, Raymond Bergeron
  Chasseurs sachez chasser, Lucien B. Lapierre
* **Comment se sortir du trou au golf,** L. Brien et J. Barrette
* **Comment vivre dans la nature,** Bill Riviere
* **Conditionnement physique, Le,** Che-valier-Laferrière-Bergeron
* **Corrigez vos défauts au golf,** Yves Ber-geron

  Corrigez vos défauts au jogging, Yves Bergeron
  Danse aérobique, La, Barbie Allen
* **En forme après 50 ans,** Trude Sekely
* **En superforme par la méthode de la NASA,** Dr Pierre Gravel
  Entraînement par les poids et hal-tères, Frank Ryan
  Équitation en plein air, L', Jean-Louis Chaumel
  Exercices pour rester jeune, Trude Sekely
* **Exercices pour toi et moi,** Joanne Dus-sault-Corbeil
  Femme et le karaté samouraï, La, Ro-ger Lesourd
  Guide du judo (technique debout), Le, Louis Arpin
* **Guide du self-defense, Le,** Louis Arpin
* **Guide de survie de l'armée américaine, Le**
  Guide du trappeur, Paul Provencher
  Initiation à la plongée sous-marine, René Goblot

Imprimé au Canada/Printed in Canada

2